coragem pra recomeçar

DEIVE LEONARDO

coragem pra recomeçar

quatro ventos

Todos os direitos deste livro são reservados pela Editora Quatro Ventos.

Editora Quatro Ventos
Rua Liberato Carvalho Leite, 86
(11) 3230-2378
(11) 3746-9700

Proibida a reprodução por quaisquer meios, salvo em breves citações, com indicação da fonte.

Todas as citações bíblicas e de terceiros foram adaptadas segundo o Acordo Ortográfico da Língua Portuguesa, assinado em 1990, em vigor desde janeiro de 2009.

Diretor executivo: Renan Menezes
Editora Responsável: Sarah Lucchini
Equipe Editorial:
Isaque Felix
Paula de Luna
Gabriela Vicente
Revisão: Eliane Viza B. Barreto
Diagramação: Vivian de Luna
Coordenação de projeto gráfico:
Big Wave Media
Capa: Bruno Leal

Todo o conteúdo aqui publicado é de inteira responsabilidade do autor.

Todas as citações bíblicas foram extraídas da Nova Versão Internacional, salvo indicação em contrário.

Citações extraídas do site https://www.bibliaonline.com.br/nvi. Acesso em outubro de 2019.

1ª Edição: Novembro 2019

Ficha catalográfica elaborada por Geyse Maria Almeida Costa de Carvalho – CRB 11/973

L581c Leonardo, Deive

Coragem pra recomeçar / Deive Leonardo. - São Paulo: Quatro ventos, 2019.
184 p.

ISBN: 978-85-54167-24-0

1. Crescimento espiritual. 2. Religião. 3. Renovação espiritual. I. Título.

CDD 207
CDU 27

Sumário

Introdução **15**

1 Deus não é o culpado **19**

2 Sepulte suas dores **35**

3 Não pule do barco **51**

4 Importante **69**

5 Falta uma coisa **85**

6 Críticas **101**

7 Não seja refém **117**

8 Tenha alguém **135**

9 Solte o controle **153**

10 O segredo da vida **171**

Dedicatória

Dedico este livro à minha linda esposa, Paulinha Leonardo. Nós tivemos coragem para recomeçar juntos. E aos meus filhos, João Leonardo e Noah Leonardo, razões para não desistir nunca.

Dedication

Agradecimentos

A Jesus, em primeiro lugar, o maior amor da minha História.

À minha mãe Luciane, por me sustentar em oração desde sempre.

Ao meu pai Amilton, por ser uma voz de comando sobre a minha vida.

À minha doce Paulinha Leonardo e aos meus príncipes, João e Noah. Vocês me ensinam todos os dias.

A toda a equipe da Editora Quatro Ventos, principalmente Renan Menezes e Sarah Lucchini, que acreditaram neste material.

A todos que contribuíram para que este livro se tornasse realidade, seja na diagramação, capa, divulgação ou distribuição. Parabéns por todo o trabalho!

Prefácio

Um dos lemas da nossa igreja é "Um lugar de novos começos", e esse conceito existe não por vontade humana, mas por uma verdade bíblica. Foi o amor do nosso senhor Jesus Cristo que nos permitiu o maior recomeço da História. Quando morreu por nós na cruz e ressuscitou no terceiro dia, Ele construiu um caminho para que pudéssemos nos reconciliar com Deus.

Esse ato de redenção mostra que é possível, sim, recomeçar a nossa história, e que o nosso Deus é um Deus de recomeços. Ele sempre está disposto a nos dar nova oportunidade, não importa o quão grave tenha sido nosso erro, nosso desvio ou nosso pecado. Se genuinamente nos arrependermos e confessarmos nossas fraquezas, seremos poderosamente transformados pelo perdão do Pai.

Porém, é claro que o Inimigo sabe disso melhor do que nós. Não é à toa que ele é chamado de "Acusador", uma vez que todo o seu trabalho é tentar nos fazer acreditar que é impossível nos reaproximar de Deus com tantos pecados. Seu objetivo é nos tirar a perfeita noção dessa linda realidade do arrependimento e da mudança de rumo.

Por isso, para reafirmar cada detalhe das verdades de Deus sobre o ato de recomeçar, neste livro que você tem em mãos, nosso amado irmão Deive Leonardo traça sua linda jornada de impressões e direções do Espírito Santo a respeito desse tema. De forma objetiva, numa linguagem sempre acessível, que é a marca de seu ministério e que o levou a ser seguido por milhares de pessoas nas redes sociais, ele traz poderosas verdades bíblicas que levarão você a crer que é possível ter uma nova oportunidade, que Deus sempre nos dá uma nova chance.

Portanto, eu quero encorajá-lo a mergulhar neste mundo de possibilidades que só a nova vida em Cristo nos dá. Que Deus o abençoe abundantemente. Boa leitura.

MÁRCIO VALADÃO
Pastor sênior da Igreja Batista da Lagoinha

Introdução

É bem verdade que o final das coisas é mais importante que o início, aliás, já dizia Eclesiastes. O problema é que, muitas vezes, invertemos essa ordem. Começamos bem, mas terminamos esquecendo a razão de termos começado, e, por isso, acabamos mal. Talvez porque não conseguimos enxergar tanto valor ou importância no que estava no final. Então, ao primeiro sinal de obstáculo, o que antes era tão empolgante e, até certo ponto, a melhor escolha, acaba sendo sufocado pelas dificuldades de chegar ao fim. Ou talvez porque acabamos nos distraindo ao longo do caminho. Podemos até acreditar que decidimos pelo certo, mas a sedução dos atalhos nos rouba a atenção que deveria estar apenas no que alcançaríamos ao atingir nosso alvo. Ou ainda porque tenhamos nos cansado e chegado à conclusão de que, por melhor que fosse, o resultado estava longe demais. Seja o motivo que for, ao baixarmos a guarda e nos permitirmos desistir, não perdemos de vista e abrimos mão apenas da recompensa, mas da esperança e da felicidade. Quando isso acontece, só temos uma opção: recomeçar.

O recomeço nem sempre tem ligação com algo que tentamos antes e não conseguimos, como quando alguns que estão em fase pré-vestibular fazem a prova e não passam de primeira. Às vezes, recomeçar pode e precisa gerar uma mudança radical na forma como vivemos até o momento. É possível perceber isso quando perdemos alguém que amamos. Apenas quem viveu algo assim é capaz de dimensionar a dor e todos os sentimentos que o óbito pode trazer. Ele é cruel, dolorido e, por alguns instantes, pode parecer fatal. Porém, é a nossa decisão de recomeçar que fará a diferença dali em diante.

Por mais que, na maioria das vezes, tentemos esconder as nossas vulnerabilidades, não há como negar que todos temos perdas, crises, erros, fracassos e históricos dos quais nos arrependemos, gostaríamos de esquecer ou mudar. Isso significa que, seja em menor ou maior escala, todos necessitamos de recomeços. Entretanto, em algumas situações, por mais que tenhamos consciência do amor, das palavras de Deus a nosso respeito – e isso, por si só, já deveria bastar – e das oportunidades de recomeço que Ele nos oferece, por algum motivo, desprezamos essas verdades e nos impedimos de tentar novamente. É assim que nos sentenciamos a abdicar de uma vida plena e sabotamos o futuro novo que existe para nós além da dor, do pecado ou do medo.

Eu sei, recomeçar não é simples. Isso é normal, porque, na prática, o recomeço exige posicionamento, coragem e fé para enxergar uma realidade que ainda não existe no agora. Porém, por mais complexo e difícil que possa ser, temos a garantia das palavras divinas a nosso favor. Tudo o que precisamos, encontramos em Cristo. Ele é o único capaz de transformar as sentenças cruéis da vida em recomeços extraordinários. Sobre isso, certamente, nenhuma outra prova fala mais alto do que a cruz. Jamais na História se ouviu dizer a respeito de um recomeço maior que este.

No entanto, por maior e mais poderoso que tenha sido, muitos pensam que o sacrifício de Jesus possibilitou apenas viver novamente, mas não, ele trouxe a chance de alcançarmos o que, de fato, significa uma vida em abundância. Uma coisa é termos vida e outra, bem diferente, é a vida em abundância. Por mais que tudo isso esteja à nossa disposição, se o primeiro passo em direção a essa nova vida não acontecer, corremos o risco de, talvez, jamais sairmos do lugar onde estamos hoje.

O desejo de Deus é que sejamos completos e felizes ainda nesta Terra, por mais que aqui não seja o nosso verdadeiro lar. Uma vez que somos mais abençoados, prósperos, esperançosos, felizes e cheios de amor e bondade, as pessoas ao nosso redor também serão, ou pelo menos deveriam ser. Afinal, tudo o que recebemos do Céu, todas as dádivas e favores, todo amor, paz, alegria e justiça, na realidade, não podem parar em nós, mas devem desaguar em cada um que encontramos pelo caminho. Fazendo isso, levamos não apenas o Reino de Deus por onde passamos, mas a oportunidade de todos terem a vida em abundância que nós carregamos. Isso só é possível por meio de Cristo, o maior exemplo de recomeço que o mundo já viu.

Nas próximas páginas, conversaremos sobre recomeços. A importância de termos coragem para recomeçar ou reconstruir caminhos; como escolher certo; a perseverança como um valor inegociável; a necessidade de reconhecer os problemas, sepultar as dores e se resolver emocionalmente; e o grande segredo da vida. Estes são alguns dos temas que discutiremos ao longo dos capítulos. Porém, mais do que compartilhar o meu coração aqui, o meu desejo e oração são que, em cada parágrafo, você receba a revelação de que qualquer recomeço é possível por meio d'Aquele que decidiu fazer tudo de novo por mim e por você.

capítulo 1

Deus não é o culpado

Talvez uma das coisas mais complicadas de entendermos, como seres humanos, seja a necessidade da espera. Por mais que o mundo esteja frenético e tenha até mudado de ritmo, a verdade é que todos nós, independentemente da geração em que nascemos, nunca soubemos muito bem nos adaptar à ideia de esperar. Isso se dá porque, quando optamos pela espera, passamos a respeitar o tempo natural de cada situação ou indivíduo, que não necessariamente será o mesmo que queremos ou tínhamos imaginado antes. A tendência humana é a de sempre desejar tudo agora. E por mais infantil que isso possa soar, a maioria das pessoas – se não todas –, uma hora ou outra, acaba metendo os pés pelas mãos por tentar acelerar um processo que deveria ter sido respeitado.

Todos temos histórias que poderiam ter terminado de outra maneira se tivéssemos decidido esperar. E sobre esse assunto, talvez o grande problema esteja em nossa predisposição para associar a espera com a estagnação. Isso acontece porque, geralmente, temos o péssimo costume de comparar a nossa vida com a dos outros. Comparamos o nosso ritmo, sonhos, quem somos ou gostaríamos de ser, as nossas fases e até mesmo as experiências que vivenciamos ao longo do caminho, e nisso sufocamos a individualidade tão singular e preciosa que recebemos do Criador.

Quando focamos demais no que ainda não somos e não temos, além de nos tornarmos pessoas chatas e ingratas, deixamos de viver plenamente o que só nós fomos criados para ser e fazer. A felicidade verdadeira não está relacionada com a quantidade de dinheiro que temos no banco ou o número de seguidores que colecionamos em nossas redes sociais, mas em sabermos quem somos em Deus e o quanto somos amados por Ele. Enquanto o nosso foco estiver em viver a vida de outras pessoas, não seremos felizes e completos.

Ninguém tem uma vida perfeita. Nem mesmo celebridades, pastores ou aqueles que temos em mais alta conta. Porém, infelizmente, de vez em quando preferimos acreditar que, de fato, "a grama do vizinho é sempre mais verde". A questão é que nunca paramos para pensar que a distância não nos permite ter nitidez suficiente para enxergar as pequenas realidades, imperfeições e problemas que acontecem no gramado alheio.

Por esse motivo, muitas vezes, somos pegos de surpresa pelos resultados dos outros sem levarmos em consideração que o nosso ritmo é diferente do das outras pessoas. Assim, é quando tudo parece travado em nossa realidade, que, de uma hora para outra, um vizinho ou conhecido ganha uma viagem para o exterior, recebe a liberação de um dinheiro que estava parado na Justiça ou é promovido no trabalho. Todas, situações que nós precisávamos ou queríamos, mas que, por alguma razão, ainda não aconteceu conosco.

Entretanto, vale lembrar que o fato de não enxergarmos a materialização da mudança no cenário que gostaríamos não quer dizer que ela não esteja acontecendo. E é justamente nesse ponto que muitos têm boicotado o seu futuro, e o dos outros, apenas por não entenderem essa verdade tão simples.

Isso me faz lembrar da época em que o meu filho estava aprendendo a andar. Quando você se torna pai ou mãe, inevitavelmente, passa a fazer parte de uma nova comunidade, em que os assuntos, conversas e hábitos começam a girar em torno do que é comum a todos: a criação de filhos. Há um tempo, em uma dessas conversas com um amigo meu, que também é pai, surgiu a dúvida: "Deive, e aí? O Joãozinho já andou?". "Ainda não", respondi bem rápido. Então, ele comentou: "Nossa, sério? O meu andou com sete meses". Na mesma hora em que essas palavras foram ditas, foi impossível não iniciar uma competição mental entre nossos filhos. O João, na época, estava com 11 meses e ainda não tinha dado nem três passos em sequência. Das duas, uma: ou o filho do meu amigo era um alienígena ou o meu estava com algum problema e precisava de ajuda. Foi, então, pautado por essa ideia que comecei a criar todas as oportunidades e forçar tentativas para que o João deixasse o estágio de engatinhar e passasse a andar. Eu dizia: "Filho, você tem que andar logo. Todos os seus amiguinhos já andaram e você ainda está engatinhando", "Vamos lá, você consegue! É hoje que você anda!".

Porém, conforme eu ia tentando fazer com que ele andasse, percebi que, por melhores que fossem as minhas intenções de querer ajudá-lo, na verdade, eu estava colocando-o em risco, porque ele ainda não sabia cair. Não tem como ensinar alguém a andar sem que antes este aprenda o que fazer ao levar um tombo. O meu filho não tinha defesa nem reflexo, o que significa que, se ele caísse e não estivesse preparado, poderia sofrer um acidente ou, pior, por ter sido forçado e, assim, se machucado, ele correria o risco de ter desistido de andar, porque uma queda sem treinamento é traumatizante.

Após ter percebido o que estava fazendo, foi como se, instantaneamente, tivesse caído em mim, o que me levou a questionar as minhas motivações para estar agindo daquela maneira. Entretanto, mais do que isso, essa situação me fez refletir sobre a razão de termos tanta dificuldade de entender que cada pessoa tem o seu tempo. Seja pelo motivo que for, a verdade é que sempre tentamos acelerar as coisas para que tudo seja feito na hora em que queremos. E enquanto tudo isso vinha à tona, eu me dei conta de algo muito importante: quando respeitamos as fases, somos resguardados de fracassos. Muitas histórias de derrota poderiam ter sido evitadas se tivéssemos esperado um minuto a mais.

Quando penso nisso, percebo a bondade e o amor de Deus em nos guardar do que ainda não somos capazes de receber ou viver. O Senhor nunca irá nos expor antes de nos treinar. Se hoje você está esperando por algo que Ele prometeu, saiba: você ainda não está preparado para o risco que essa situação exige, e tudo bem.

Um dos versículos que ilustra bem essa realidade e me chama muito a atenção na Bíblia é Lucas 1.80:

> E o menino crescia, e se robustecia em espírito. E esteve nos desertos até o dia em que havia de mostrar-se a Israel. (ACF)

O que esse texto nos mostra é alguém que, claramente, tinha um propósito extraordinário, mas havia compreendido a importância de respeitar os tempos. A Palavra nos revela que João Batista, aquele que precedeu Jesus, antes de se tornar a "voz que clama no deserto", preparou-se durante anos para assumir o que Deus o havia criado para fazer. Da mesma forma, o Messias e todos os grandes homens e mulheres de Deus também o fizeram. Se Jesus, que era Deus, não pulou nenhuma fase de Sua vida, por que pensamos que devemos seguir por outro caminho?

O que acho interessante nesse versículo é que ele me revela um homem que preferiu crescer mais por dentro do que por fora. As Escrituras nos dizem que João Batista crescia e se enrobustecia no espírito. Contudo, enquanto o seu ministério ainda não estava acontecendo publicamente, ele permanecia fiel, respeitando as fases de desenvolvimento, preparação e amadurecimento que precisava passar, uma vez que apenas elas poderiam forjar o caráter e gerar a mentalidade correta para que ele fosse capaz de enfrentar o que viria mais tarde.

Os maiores e mais bem-sucedidos não são os que sabem de tudo, mas aqueles que se submetem aos processos necessários antes das grandes conquistas. É nos bastidores que somos treinados. Sem perseverança, trabalho duro, estudo, derrotas, "náos" e o discernimento dos tempos, é impossível nos tornarmos grandes, porque isso tem mais a ver com o resultado de todas essas experiências dentro de nós do que com talento ou genialidade. É evidente que nenhum desses dois últimos devem ser desprezados, mas penso que muitos têm se apoiado neles ou na falta de ambos para justificar a sua desobediência aos processos. No primeiro caso, os que são dotados de tal dom natural podem cair no erro de pensar que, pelo fato de terem habilidades prodigiosas, não precisam se sujeitar a etapas de aprendizagem ou críticas. No segundo caso, aqueles que não se veem presenteados por talentos específicos também podem se enganar pensando que o próprio dom em si seria suficiente para sustentar o sucesso. A questão que fica implícita é que os dois, à sua maneira, necessitam dos bastidores, e é isso o que precisamos entender.

Para cada nova fase é exigido algo inédito de nós, mas, enquanto não tivermos as habilidades internas e externas, que levam tempo para serem estabelecidas, não mudaremos de estação. E isso não é apenas na vida cristã.

É engraçado como sempre achamos que estamos prontos para tudo. Inclusive, essa ideia é o que nos faz desejar acelerar as coisas e fazer do nosso jeito. Então, clamamos, oramos e, de certa forma, batemos o pé, afirmando ou pensando, em nosso coração, o quanto já estamos preparados para receber a recompensa que almejamos. Mas a verdade é que todos estamos aprendendo e amadurecendo. E Deus, mais do que ninguém, sabe disso.

Algo que gosto muito na natureza divina é a forma como Ele nunca exige nada além da nossa capacidade. Em outras palavras, somos cobrados na medida em que nos desenvolvemos e crescemos. Nem mais nem menos. Deus respeita os nossos ciclos, porque Ele sabe exatamente quem somos e quem não somos. Ele conhece o nosso futuro e tudo o que podemos suportar.

Isso me traz a certeza de que os maiores "nãos" que recebi de Deus, na realidade, foram grandes provas do Seu amor por mim. Se acreditamos que, quando estamos debaixo da Sua liderança, todas as coisas podem trabalhar para o nosso bem, e sabemos que Ele é um Pai bondoso, amoroso e fiel, é impossível não querermos nos submeter aos processos.

Muitas vezes, não conseguimos receber "nãos" de Deus ou mesmo aguardar com paciência, porque não O conhecemos. Podemos ir à igreja, cantar e até ofertar, mas, se não temos um relacionamento profundo com o Senhor, não entendemos a Sua natureza e caráter, que é justamente no que devemos nos apegar. O que vemos e percebemos ao nosso redor é uma perspectiva limitada do que Deus realmente está fazendo, e é por isso que não são as circunstâncias e sentimentos que devem nos manter firmes nas palavras e promessas que recebemos do Senhor, mas o caráter d'Aquele que nos prometeu. Quanto mais O conhecermos, mais obedientes, pacientes e submissos seremos, e menos desejaremos tentar "dar um jeitinho" de apressar o que quer que seja.

Não importa o quanto demore, se existe uma promessa do Céu, o próprio Deus se encarregará de cumprir o que disse, porque Ele nunca mente. E se tudo o que o Senhor diz é verdade, os nossos olhos não devem estar no tempo de espera, mas na convicção de que o caráter divino é imutável. Além disso, se temos a certeza de que Ele conhece o nosso futuro e nos ama, só nos resta compreender de uma vez por todas que, no tempo em que estivermos prontos, Deus nos concederá o que esperamos.

Algo que tenho entendido cada vez mais em minha caminhada com Jesus é que Ele jamais nos dará uma coisa se não estivermos preparados para ela. E por mais difícil que seja respeitar o tempo, se mantivermos em mente o Seu caráter e amor por nós, não apenas seremos capazes de passar pelos processos, mas amadureceremos em nossa vida, cristianismo e conhecimento de Deus.

Por outro lado, tão importante quanto respeitar as fases é entendê-las, e é aqui que muitos falham também. Se não compreendemos ou conseguimos enxergar valor em cada estação, somos facilmente convencidos de que estamos perdendo tempo, o que, na maioria das vezes, nos faz tomar decisões erradas e precipitadas. Quando isso acontece, pelo fato de não estarmos prontos, caímos e, como se não bastasse, culpamos a Deus. Mas Ele não é o culpado. O culpado somos nós que tentamos andar antes de engatinhar; que queremos correr antes de andar; que decidimos passar por cima da vontade do Senhor por acharmos que sabemos mais do que Ele sobre o nosso futuro.

Na realidade, por mais absurdo que isso possa soar, atribuir a culpa a Deus é mais comum do que imaginamos, e, talvez, seja o estágio número um de quem precisa de um recomeço. O ser humano, por algum motivo, sempre teve uma capacidade impressionante de transferir responsabilidades. Tanto é verdade que foi justamente isso que Adão fez com Eva no Jardim. Após terem comido do fruto da Árvore do Conhecimento do Bem e do Mal, o Homem e a Mulher se esconderam de Deus, por vergonha e medo. Porém, não contente com a desobediência, após ter sido questionado pelo Senhor acerca do que tinham feito, Adão respondeu:

> Disse o homem: "Foi a mulher que me deste por companheira que me deu do fruto da árvore, e eu comi". (Gênesis 3.12)

Adão conseguiu culpar as duas únicas pessoas que ele conhecia na vida. Seria cômico se não fosse trágico. Entretanto, muitas vezes, é assim que agimos no momento em que somos pressionados. Quando decidimos construir a nossa vida com as nossas próprias forças, a responsabilidade recai sobre nós. Não existe segredo nisso. Para cada escolha que fazemos, não é apenas a consequência daquela decisão que está subentendida, mas também a responsabilidade por ela.

Muitos escolhem mal e, quando a conta chega, culpam Deus, as pessoas, a falta de oportunidades ou situações desfavoráveis. Talvez, mais do que nunca, as pessoas precisem aprender a assumir as responsabilidades e ter coragem para reconhecer suas más decisões. Terceirizar a culpa pelos nossos fracassos para Deus, ou quem quer que seja, não nos livrará de arcar com o ônus daquilo que escolhemos.

Francamente, ainda que seja difícil admitir, a maior parte das coisas ruins que acontecem conosco é fruto das nossas más escolhas. Por outro lado, é bem verdade também que não existe nenhum ser humano que seja imune aos fracassos da vida. Nós iremos errar, mas podemos amenizar essas falhas escolhendo nos submeter às palavras de Deus e o caminho que Ele já revelou a nós. Além disso, vale mencionar que, se errarmos, existe a chance de recomeçar. Aliás, a vida, desde cedo, nos ensinou que o recomeço era possível. Quando estávamos na escola, por exemplo, ouvíamos a respeito da temida "Recuperação", que nada mais é do que a chance de fazer de novo. E não só isso, mas, do início ao fim, a própria Bíblia é recheada de recomeços. Noé, Moisés, a mulher adúltera, Neemias, Paulo, o filho pródigo, Pedro, a mulher samaritana, Jairo e sua família, e tantos outros. Isso sem contar Jesus, que é o maior exemplo de recomeço que o mundo já viu.

Na cruz do Calvário, Ele se entregou em nosso lugar para que, através do Seu sangue, fôssemos livres para começar outra vez. Por conta disso, Ele pôde reconquistar a nossa vida, o nosso relacionamento com Aquele que nos criou e restaurar toda a Criação. E se errar é humano, em Cristo, o recomeço, em seu sentido mais fiel, é viável.

Por meio do perdão e da segunda chance concedida na Cruz, temos a oportunidade de viver plenamente, sendo capacitados e transformados de maneira genuína e completa através de Jesus. E nisso não há exceções. É por esse motivo que, mesmo as melhores pessoas que conhecemos, e que não reconheceram a Cristo como seu Senhor e Salvador, também precisam do recomeço que vem através do sacrifício de Jesus. Não basta sermos bonzinhos e fazermos o bem aos outros, todos, sem ressalvas, necessitamos do reinício intrínseco à cruz. Afinal: "todos pecaram e estão destituídos da glória de Deus" (Romanos 3.23).

Por mais que o sacrifício do Filho de Deus não carregue a imunidade contra o fracasso, os desastres, tragédias ou quaisquer coisas ruins que estamos suscetíveis neste mundo caído, Ele nos garante a vitória por meio do Seu sangue, custe o que custar.

A verdade é que não existe ninguém no mundo que esteja tão blindado contra as derrotas da vida a ponto de não necessitar de um recomeço. Nós sempre precisaremos começar de novo em algum momento, seja em pequenas ou grandes situações. Porém, a escolha de deixarmos que Deus guie o processo ou não é apenas nossa. Enquanto continuarmos tomando decisões a nosso bel-prazer e insistindo em pôr a culpa n'Ele, jamais estaremos abertos para começar a construir outra vez.

Por isso, assuma as responsabilidades por suas más escolhas, decisões fora do tempo ou tentativas de fazer algo que o Senhor não lhe autorizou, e encontre misericórdia para recomeçar. Contudo, tenha em mente que esse processo lhe exigirá submissão e obediência a Deus, acima do que você deseja ou sonha para si mesmo.

Quando eu era mais novo, um dos meus maiores sonhos era pregar na Igreja Batista da Lagoinha. Naquela época, ainda bem no início da minha caminhada como pregador, eu não tinha proximidade com muitas pessoas do meio, mas me lembrei de um amigo, que tinha um contato, que tinha outro contato, que tinha o contato de outra pessoa, que, talvez, pudesse me ajudar. Após um tempo para conseguir aquele número de telefone, liguei e, depois de alguns instantes de conversa, de maneira bem direta, eu disse: "Fulano, é o seguinte, você teria como me ajudar a pregar na Lagoinha, por favor?".

A resposta daquele homem chegou só depois de um mês, e, para a minha surpresa, ele havia conseguido carta branca em uma das congregações da Lagoinha em Belo Horizonte. Eu consigo recordar a alegria e euforia que eu estava sentindo naquele momento. Em meio a agradecimentos, risadas, "glórias a Deus" e muita animação, desliguei o telefone e comecei a contar tudo à Paulinha, minha esposa. Porém, antes de conseguir finalizar a primeira frase, o Espírito Santo disse em meu coração: "Não vá!". Imediatamente, eu Lhe respondi: "Ahhhhhh não, Espírito Santo! Não pode ser!". "Você quer tomar conta do seu ministério? Quer tentar passar por cima de Mim e fazer aquilo que Eu, no tempo certo, vou fazer?", Ele me perguntou. Confesso que, por bem pouco, não respondi que sim. Nós somos seres humanos, sujeitos a falhas, cansaço e impaciência de vez em quando. Aliás, digo isso por experiência própria. O problema é usarmos isso como desculpa para fazer a nossa vontade. Porque, no final das contas, é a nossa obediência que faz a diferença.

Enquanto lutava contra mim mesmo e todas aquelas palavras do Espírito Santo, decidi continuar a história para a Paulinha, que tinha ficado esperando alguns segundos enquanto tudo isso acontecia dentro de mim. "Amor, eu consegui, mas o Senhor está falando que não devo ir". Uma das coisas que mais admiro na minha esposa é a maneira como ela é, de fato, uma mulher de Deus. Eu sabia que o que ela dissesse seria guiado pelo Senhor. Foi quando, calmamente, ela me olhou e confirmou: "Amor, não vá! Não sinto que você deva ir!".
Na mesma hora, pensei: dois a zero. Sem saber com que cara ligaria de volta para o rapaz que havia conseguido o convite, tentei não pensar muito e apenas digitei os números no celular. Ele atendeu, expliquei tudo, agradeci o esforço que ele tinha feito para conseguir aquela agenda, ambos ficamos chateados, desligamos o telefone e eu não fui. Foi isso, eu só não fui.

Muitos pensam que, pelo fato de Deus nos pedir para sacrificar algo, Ele tem a obrigação de nos honrar ou recompensar por essa escolha, mas não. Por que sempre precisa existir uma troca? Às vezes, o Senhor só quer que fiquemos quietos, Ele só quer que esperemos.

Sinceramente, eu nunca compreendi o motivo exato de Deus não ter me permitido ministrar na Lagoinha naquela época, mas confio que, se Ele me disse "não", é porque isso era o melhor para mim. Não temos de entender tudo. Não precisamos ter todas as respostas. Só o que temos de fazer é obedecer de forma radical. E talvez a sua maior prova de obediência hoje possa ser esperar.

Abraão e Sara são exemplos clássicos disso. Por outro lado, eles também nos mostraram que a desobediência ao tempo certo sempre gera um "Ismael", por melhor que seja a intenção. Isso quer dizer que, cada vez que nos precipitamos a fazer as coisas do nosso jeito, haverá uma ponta solta no processo, uma consequência com a qual precisaremos lidar. Para todo "Ismael" é necessário um recomeço que provavelmente poderia ter sido o plano A, se tivéssemos esperado.

Muitas vezes, a reconstrução do nosso caminho acaba levando muito mais tempo do que se tivéssemos respeitado cada fase logo de cara. Por isso, quando tratamos de recomeços, a primeira lição mais importante é entender que, à medida que confiamos no caráter de Deus e obedecemos aos tempos que Ele determina de maneira individual e única para cada um, nós nos tornamos ainda mais assertivos no plano A. Porém, vale lembrar que o contrário também é verdade. Quanto menos confiamos no Senhor e mais tomamos decisões por nós mesmos, mais altas são as chances de gerarmos um "Ismael". Isso acontece porque não conhecemos o futuro, diferentemente de Deus. Além disso, como comentei, Ele respeita a fase e a maturidade que temos hoje. Deus escolhe esperar com paciência o nosso desenvolvimento.

Quando eu era menino e queria fazer alguma coisa que "todo mundo" fazia e eu não, a minha mãe costumava me dizer a famosa frase: "Deive, você não é todo mundo". Por mais batida que possa estar, talvez essa afirmação resuma muito a respeito do nosso tempo de espera. De vez em quando, sinto como se Deus me dissesse essas palavras, e é em momentos como esses que percebo a minha ansiedade sendo dominada pela perseverança e fé no caráter d'Aquele que me prometeu.

Portanto, escolha obedecer e respeitar os processos. Se Deus não disser: "Vá", não vá. Se Ele ainda não fez acontecer, não tente você realizar com suas próprias mãos, porque é o Senhor quem determina o tempo e as estações da nossa vida. Não se preocupe, Deus não tem problemas de atraso, Ele é pontual. Então, espere, cresça, amadureça, desenvolva-se, porque, na hora certa, assim como fez com João Batista, Ele o apresentará a "Israel".

capítulo 2

Sepulte suas dores

A vida, de vez em quando, pode ser bem difícil. Na realidade, desde cedo, é natural sermos obrigados a lidar com situações de tristeza, rejeição, dor e frustração. Afinal, nem sempre as coisas saem como planejamos ou gostaríamos. E, talvez, seja exatamente esse o motivo que nos faz ter tanta dificuldade de conseguir vislumbrar o Céu, um lugar onde só existe alegria, paz, justiça e amor. O Céu é perfeito, assim como Quem mora lá. E por mais que pareça ser bom demais para ser verdade, possivelmente a melhor coisa a seu respeito é que ele é bom e é de verdade.

No Céu, não existe nada de ruim. A tristeza não é bem-vinda. O medo não tem coragem de tocar a campainha. A dor jamais foi convidada para o jantar. O racismo e a indiferença, a pobreza e a morte, o ódio e o orgulho nunca foram tolerados lá. Absolutamente nada do que mais repudiamos na vida e que somos, muitas vezes, obrigados a presenciar aqui é aceito no Céu. Isso, porque esse lugar reflete o caráter d'Aquele que o criou.

Entretanto, por mais complicada e horrível que a nossa realidade possa ser em alguns momentos, existe esperança. Através do sacrifício de Jesus, somos capazes de começar a viver o Céu aqui e agora. É por conta disso que Ele próprio afirmou: "Venha o teu reino; seja feita a tua vontade, assim na terra como no céu" (Mateus 6.10). Nós somos a resposta que o mundo aguarda se manifestar. Essa é a razão de ainda estarmos aqui mesmo depois de termos recebido o Novo Nascimento e convidado Jesus para morar em nosso coração. Isso reforça o quanto a conversão é apenas o início da caminhada, e não o fim do jogo. A nossa missão, a partir daí, é estabelecer o Reino de Deus neste mundo. E quando fazemos isso, as pessoas têm a mesma oportunidade de experimentar o Céu na Terra.

Por outro lado, o fato de ainda nos encontrarmos aqui também nos garante que, independentemente da nossa decisão por Cristo ou não, estaremos vulneráveis ao que existe de pior neste mundo. Aliás, Ele mesmo nos avisou a respeito disso:

> Tenho-vos dito isto, para que em mim tenhais paz; no mundo tereis aflições, mas tende bom ânimo, eu venci o mundo. (João 16.33 – ACF)

É impossível estarmos no mundo e não sofrermos em algum momento. Isso em nada põe à prova a bondade de Deus. Afinal, fomos nós que desobedecemos a Ele e, por consequência, trouxemos destruição, morte e dor para o nosso caminho. Contudo, de todos esses, a dor talvez seja o sentimento mais curioso. Porque, apesar de horrível e inevitável, ela é a única capaz de nos fazer mais humanos.

A dor nos torna iguais. Ela não tem cor, classe social nem idade. Quando chega, não pede licença nem se desculpa; e a respeito de sua vida útil, nunca se sabe ao certo quanto tempo pretende ficar. Nem mesmo a alegria, em seu grau máximo de virtude, consegue colocar as pessoas no mesmo patamar de igualdade como ela faz. Todos sofremos de igual forma. Todos perdemos, ficamos devastados, doloridos e arrasados, da mesma maneira.

Em contrapartida, a forma como lidamos com ela pode não apenas ser diferente, mas decisiva. É bem verdade que não existe ser humano na Terra que seja imune à dor, porém é o que fazemos com esse sentimento que conta. Não importa o quão doída ela seja, sempre teremos a chance de sucumbir ou nos tornar mais fortes depois dela.

O livro de Mateus nos conta um episódio da vida de Jesus que reforça exatamente essa ideia de escolha que temos ante à dor:

> E Jesus, ouvindo isso, retirou-se dali num barco, para um lugar deserto, apartado; e, sabendo-o o povo, seguiu-o a pé desde as cidades. (Mateus 14.13 – ACF)

Nessa passagem, o Mestre havia acabado de receber a notícia a respeito da morte de João Batista, seu primo, amigo próximo e antecessor. Entretanto, mesmo sabendo da humanidade do Messias, eu nunca havia prestado muita atenção nesse pequeno versículo de Mateus. Jesus, ao se deparar com aquele relato, escolheu se afastar e ir para um lugar deserto. E o fato de ter tomado uma atitude dessas só me faz pensar no quanto Ele precisava de um tempo para chorar e resolver a dor que estava sentindo.

A Bíblia nos conta sobre a ligação de João Batista e Jesus, que, desde o início, já havia sido muito forte. O primeiro contato que ambos tiveram foi ainda no ventre, quando Maria, grávida do Salvador, encontrou-se com sua prima Isabel, grávida de João. Ao se cumprimentarem, o neném no ventre de Isabel saltou de alegria, e imediatamente ela foi cheia do Espírito Santo, como descrito em Lucas 1:

> Naqueles dias, Maria preparou-se e foi depressa para a uma cidade da região montanhosa da Judéia, onde entrou na casa de Zacarias e saudou Isabel. Quando Isabel ouviu a saudação de Maria, o bebê agitou-se em seu ventre, e Isabel ficou cheia do Espírito Santo. Em alta voz exclamou: "Bendita é você entre as mulheres, e bendito é o filho que você dará à luz!".
> (Lucas 1.39-42)

As Escrituras também nos revelam a respeito da amizade que os dois construíram. Era João Batista que estava na beira do rio quando Jesus se aproximou, e disse: "Ele é aquele que vem depois de mim, cujas correias das sandálias não sou digno de desamarrar" (João 1.27). Também foi ele que batizou o Mestre e anunciou ao mundo a Sua chegada. É por esses e outros motivos que imagino o impacto que a morte de João causou em Jesus.

Os Evangelhos contam que:

> No aniversário de Herodes, a filha de Herodias dançou diante de todos, e agradou tanto a Herodes que ele prometeu sob juramento dar-lhe o que ela pedisse. Influenciada por sua mãe, ela disse: "Dá-me aqui, num prato, a cabeça de João Batista". O rei ficou aflito, mas, por causa do juramento e dos convidados, ordenou que lhe fosse dado o que ela pedia e mandou decapitar João na prisão. Sua cabeça foi levada num prato e entregue à jovem, que a levou à sua mãe. Os discípulos de João vieram, levaram o seu corpo e o sepultaram. Depois foram contar isso a Jesus. (Mateus 14.6-12)

Mesmo sem perceber, temos a tendência de divinizar demais a pessoa de Jesus. Não que Ele não fosse, de fato, Deus, porque era. Aliás, era tanto homem quanto Deus. Contudo, essa visão errada a respeito de Sua natureza nos leva a acreditar em um Cristo tão alheio e até mesmo protegido contra quaisquer sentimentos terrenos, que chega a beirar a insensibilidade, ainda que não de forma consciente.

Sim, a cruz nos diz muitas coisas, mas possivelmente uma de suas maiores mensagens seja: "Eu sei como você se sente".

Tudo isso só me faz pensar que, na verdade, a reação do Messias diante da morte de João tenha sido um baque maior do que supomos. E enquanto meditava nessa passagem, comecei a me questionar como eu mesmo respondia à dor. Que tipo de poder e controle eu entregava em suas mãos.

Muitas vezes, o grande problema não é a nossa falta de espiritualidade ou compromisso com o Reino de Deus, mas a maneira como nos deixamos seduzir pelos efeitos da dor. É evidente que ninguém em sã consciência gosta de sofrer. Inclusive, o sofrimento é contrário à natureza humana. Não fomos criados para isso. Entretanto, existe um estágio da dor que é decisivo e pode ser fatal. Nesses casos, é como se, de alguma forma, nos mantivéssemos conectados ao que perdemos à medida que alimentamos esse sentimento. Então, em vez de o deixarmos ir, preferimos continuar apegados a ele com a ilusão de que, assim, estaremos próximos do que deixamos ou fomos obrigados a deixar para trás, e é aqui que mora o perigo.

Para cada sofrimento, é importante entender que deve existir um período de luto. Na realidade, isso é saudável e precisa acontecer. Nós temos que chorar e colocar para fora as dores que nos atingem ao longo do caminho. Contudo, existe um limite, e quem tem o poder de estabelecê-lo e pôr fim nesse tempo somos nós.

Não é à toa que o excesso de dor e a falta de limites para o luto fizeram com que muitas pessoas morressem de amor no passado, por exemplo. Inclusive, hoje, isso ainda acontece. Fosse por morte, separação ou qualquer outra razão, a História comprova casos assim. Não só isso, mas, por mais fantasioso e até ridículo que soe, a Ciência também aponta para a existência de uma doença que atinge um músculo cardíaco e é capaz de levar ao óbito. Mais conhecida como Cardiomiopatia Induzida por Estresse[1] ou apenas Síndrome do Coração Partido, essa disfunção causa dores no peito, falta de ar, cansaço extremo, arritmia, desmaios, e alguns outros sintomas, além de, em casos mais extremos, a morte.

Logicamente, a doença não afeta apenas apaixonados, mas pessoas que passam por algum tipo de dor, trauma ou perda. O que me faz pensar que, se é possível alguém morrer por conta de uma dor, que dirá viver como um morto se o mantivermos em cativeiro. Muitos não reagem diante de algumas situações simplesmente porque não conseguem. Entretanto, o fato de não terem capacidade, momentaneamente, não quer dizer que jamais chegarão a superar o que passou. A questão é não desistir nem se entregar.

---

[1] BUSNELLO, Renne. **Cardiomiopatia induzida por estresse: diagnóstico diferencial de infarto do miocárdio nas emergências.** Disponível em *http://www.scielo.br/scielo.php?script=sci_arttext&pid=S2179-83972009000200021*. Acesso em setembro de 2019.

Por outro lado, vale mencionar que, apesar da nossa boa vontade, força e até mesmo determinação, existe uma cicatrização, cura e restauração que apenas Deus pode nos proporcionar. Em diversos momentos, não teremos coragem, força ou alegria, mas é através do Espírito Santo que somos capacitados a enfrentar tudo que chega até nós.

É justamente por isso que Palavra nos garante que:

> E disse-me: A minha graça te basta, porque o meu poder se aperfeiçoa na fraqueza. De boa vontade, pois, me gloriarei nas minhas fraquezas, para que em mim habite o poder de Cristo. Por isso sinto prazer nas fraquezas, nas injúrias, nas necessidades, nas perseguições, nas angústias por amor de Cristo. **Porque quando estou fraco então sou forte.** (2 Coríntios 12.9-10 – ACF – grifo do autor)

> [...] porque este dia é consagrado ao nosso Senhor; **portanto não vos entristeçais; porque a alegria do Senhor é a vossa força.** (Neemias 8.10 – ACF – grifo do autor)

Quanto mais conhecemos a Deus e Sua Palavra, mais somos fortalecidos e nos tornamos confiantes a respeito de quem somos e o que podemos n'Ele. Não, não somos super-heróis nem nunca seremos, mas com o Senhor temos a garantia de vitória independentemente da situação. É como disse o salmista:

Tu, Senhor, manténs acesa a minha lâmpada; o meu Deus transforma em luz as minhas trevas. Com o teu auxílio posso atacar uma tropa; com o meu Deus posso transpor muralhas. Este é o Deus cujo caminho é perfeito; a palavra do Senhor é comprovadamente genuína. Ele é um escudo para todos os que nele se refugiam. Pois quem é Deus além do Senhor? E quem é rocha senão o nosso Deus? Ele é o Deus que me reveste de força e torna perfeito o meu caminho. Torna os meus pés ágeis como os da corça, sustenta-me firme nas alturas. Ele treina as minhas mãos para a batalha e os meus braços para vergar um arco de bronze. Tu me dás o teu escudo de vitória; tua mão direita me sustém; desces ao meu encontro para exaltar-me. Deixaste livre o meu caminho, para que não se torçam os meus tornozelos. Persegui os meus inimigos e os alcancei; e não voltei enquanto não foram destruídos. (Salmos 18.28-37)

Jesus sabia disso, e foi exatamente por esse motivo que foi capaz de passar por tudo sem desistir ou sucumbir. Aliás, Ele mesmo mirou na alegria que estava além da cruz para conseguir suportar as aflições, oposições e sofrimentos pelos quais se submeteu:

Portanto, também nós, uma vez que estamos rodeados por tão grande nuvem de testemunhas, livremo-nos de tudo o que nos atrapalha e do pecado que nos envolve, e corramos com perseverança a corrida que nos é proposta, tendo os olhos fitos em Jesus, autor e consumador da nossa fé. Ele, pela alegria que lhe fora proposta, suportou a cruz, desprezando a vergonha, e assentou-se à direita do trono de Deus. Pensem bem naquele que suportou tal oposição dos pecadores contra si mesmo, para que vocês não se cansem nem se desanimem. Na luta contra o pecado, vocês ainda não resistiram até o ponto de derramar o próprio sangue. (Hebreus 12.1-4)

Cristo se fixou na recompensa que estava no final, e talvez seja isso que esteja faltando para nós. Quando não focamos nas promessas de Deus ou no caráter divino, é fácil perdermos a esperança, desanimarmos e até mesmo não reagirmos diante de algumas situações. Portanto, foque no que é eterno. Escolha mirar nas palavras e verdades de Deus, busque a Ele e encontre força, coragem e tudo o mais que precisar.

Em compensação, é importante reforçar que o ponto não está em não sentirmos ou bloquearmos a dor, mas em entendermos o tempo certo para chorar, limpar as lágrimas e seguir em frente, sem permitir que os acontecimentos nos matem. Foi essa a lição que Jesus, apesar do sofrimento, nos ensinou com a morte de João Batista. Precisamos escolher sepultar as nossas dores.

Muitas pessoas ainda não sepultaram seus mortos, nem relacionamentos frustrados, perdas ou fracassos, e acabam guardando tudo em seus corações. Isso, além de sufocar, maltrata e gera amargura, falta de perdão e rancor. Dessa forma, a nossa missão de manifestar o Reino de Deus acaba sendo bloqueada, porque as dores e outros sentimentos ruins se tornaram maiores do que as perspectivas de viver, ser feliz e cumprir as promessas divinas. É em razão disso que acredito que, ao se distanciar das pessoas e ir em direção ao deserto, Jesus estava decidido a se resolver, pois tinha convicção de que a missão não podia parar e, por outro lado, também não poderia prosseguir plenamente se antes não fosse sarado de Sua dor. Por isso, naquele momento, Cristo não estava curando ninguém, não estava pregando sermão nenhum, nem discipulando os doze. Ali, o Salvador decidiu apenas sepultar as Suas dores.

É essencial lembrar que, enquanto não enterramos nossas dores e permanecemos com feridas abertas, não somos capazes de estender a mão ou ser ferramenta de cura para os outros, porque o foco está em nós e no que estamos sentindo. É impossível estarmos quebrados e sermos efetivos no serviço, ajuda e amor para com as outras pessoas, já que quem precisa de ajuda, na realidade, somos nós.

Portanto, permita-se ser sarado, deixe-se ser lavado pelo Sangue que é capaz de transformar a sua vida, pois apenas assim a dor, o trauma e todo sentimento ruim desaparecerão. É evidente que não sofreremos uma lavagem cerebral e, do dia para noite, esqueceremos as memórias difíceis, contudo, aquela dor profunda e danosa terá sido sepultada. E se para isso for necessário tirar um tempo, afastar-se e ir ao deserto, faça. Pare de correr e fingir que está tudo bem. Pare de só querer fazer, trabalhar e mostrar que você consegue, sendo que, por dentro, só o que é possível encontrar são cacos. Pare de agir como se estivesse tudo em ordem, pois, se não está, não é ignorando a bagunça que ela se organizará sozinha. É preciso encarar o problema de frente, porque fingir e viver de aparências cansa muito e nunca termina bem. Pelo contrário, afinal a nossa vida é um reflexo daquilo que cultivamos em nosso coração.

Fico imaginando Jesus, o Filho de Deus, remando um barco sozinho enquanto lágrimas rolavam por todo o Seu rosto. Os discípulos, talvez, sem entender o que estava acontecendo, apenas O deixaram ir, ao mesmo tempo em que tentavam conter a multidão que passou a chegar ao saber da presença do Mestre na região. Mesmo que nada disso esteja escrito na Palavra, ao ler essa passagem novamente e imaginar todo esse cenário, senti Cristo me ensinando sobre a importância de tratarmos as nossas dores e sermos verdadeiros para conosco, para com Deus e para com as pessoas ao nosso redor. Não quer dizer que temos de nos vitimizar ou ficar choramingando, mas percebo o quanto de verdade e sinceridade tem faltado em nós. É como se, por algum motivo, nos custasse mostrar fragilidade ou vulnerabilidade. Acho que, de vez em quando, nos esquecemos da nossa humanidade. Foi exatamente isso que percebi em Jesus nesse texto. Naquele instante, Ele estava demonstrando a Sua humanidade.

Tantos investem força, tempo e energia para manter uma posição ou imagem, que se esquecem de ser de verdade. Não percebem que nem mesmo os melhores diplomas, fama, dinheiro, reconhecimento humano ou quaisquer outras coisas das quais correm atrás os farão deuses. No final do dia, somos todos iguais. Somos gente, com chamados e propósitos diferentes, mas ainda assim, seres humanos: pequenos, falhos, dependentes e incapazes de conhecer ou entender o futuro.

Há alguns meses, eu cheguei em casa e minha esposa havia feito uma surpresa para mim. Entrei na sala e dei de cara com um balão escrito: "*New baby is coming*" (Um novo bebê está vindo). Não tenho como descrever a alegria e a festa que se seguiram após essa notícia. Entretanto, algum tempo mais tarde, a Paulinha percebeu que algo não estava normal. Procuramos o médico imediatamente, e depois de uns exames, descobrimos que se tratava de uma gravidez ectópica, em que o óvulo fertilizado para nas trompas de falópio e não consegue progredir.

De um segundo para o outro, tudo mudou. Estávamos tão felizes, ansiosos e cheios de expectativas. Já tínhamos planejado, orado, consagrado, contado para todo mundo. Então, aquele baque nos nocauteou de jeito. Foi quando me lembrei da passagem de Mateus 14.13 e me dei conta do quanto ainda precisava aprender com Jesus. Naquele momento, talvez como poucas vezes na vida, eu tinha de ter coragem para passar pelo luto e sepultar as minhas dores. Não apenas por mim, mas por todas as pessoas que eu poderia abençoar, levando alimento, cura, restauração e tantas outras coisas. Porém, eu sabia que não seria capaz de fazer isso se não estivesse curado, pois é impossível vendermos algo que nós mesmos não compramos. Podemos até fingir por algum tempo, mas não temos como nos enganar a vida inteira. Cedo ou tarde, precisaremos encarar o problema, nos afastar, ir para o deserto e resolver as nossas pendências. Do contrário, a vida não conseguirá seguir o seu curso de maneira leve, plena e verdadeira. Por isso, eu e minha esposa, após a trágica notícia, decidimos nos afastar dos nossos compromissos, amigos e tudo mais, e ir para um lugar reservado, onde passamos bastante tempo orando, chorando e, aos poucos, enterrando a dor profunda que estávamos sentindo.

Após esse período, voltamos à nossa rotina. Alguns dias depois, eu estava viajando e recebi uma mensagem da Paulinha. Era uma foto do mesmo balão que ela tinha comprado para me fazer a surpresa do bebê, mas em vez de estar escrito *"New baby is coming"*, minha esposa havia riscado a palavra *baby*, o que fez com que a frase ficasse: *"New is coming"*, que significa: "O novo está vindo".

Na mesma hora, senti o Senhor falando comigo. Enquanto não sepultamos nossas dores, não somos capazes de viver o novo de Deus, afinal estamos concentrados demais nas mesmas coisas, mesmos sofrimentos, feridas e frustrações. Contudo, quando enterramos tudo isso, o novo tem espaço para surgir, e isso não quer dizer que nossas memórias ruins vão desaparecer, mas que se não aprendermos a sepultar lá, possivelmente estaremos mortos aqui.

A Bíblia continua nos contando o relato de Mateus, dizendo que, depois do Seu momento afastado de tudo e todos, Jesus voltou para terra firme e desceu do barco. Então, movido por íntima compaixão, curou os doentes e multiplicou cinco pães e dois peixes em alimento suficiente para suprir todos os presentes. Isso sem contar os doze cestos cheios de comida que sobraram. Jesus sabia qual era a Sua missão, e tinha convicção de que, apesar dos sofrimentos, decepções e tudo de ruim que passaria, nada disso podia ser maior do que a alegria proposta ao final. Ao mesmo tempo, Ele tinha consciência de que não seria capaz de cumprir plenamente o Seu propósito se não Se resolvesse quando fosse necessário, afinal de contas Ele também era humano.

Da mesma forma, nós, se quisermos ser efetivos em nossa missão e ferramentas nas mãos de Deus para abençoar outras pessoas, precisamos nos resolver emocionalmente, pois apenas assim estaremos aptos para recomeçar de fato. É necessário que reconheçamos a existência do problema para que possamos tratá-lo de maneira coerente. E o recomeço nasce justamente aí.

Quando as dores ficam no lugar certo, sepultadas no meio do mar, assim como Jesus fez, abrimos espaço para o novo, para o recomeço fresco dos Céus. O resultado que se seguiu nessa passagem, após o Mestre ter sepultado Suas dores, nos permite saber que, ao fazermos o mesmo, tudo vai ficar bem.

capítulo 3
Não pule do barco

Existe poder na perseverança. Tanto é verdade que o próprio Jesus, ao comentar sobre o fim dos tempos, afirmou que são os perseverantes que serão salvos (Mateus 24.13). O curioso é que, nessa passagem, o Mestre não escolheu mencionar a respeito do amor, nem da esperança, da paz ou até mesmo da alegria, ainda que essas sejam facetas importantes do Seu Reino. Ali, Ele decidiu revelar uma nova característica que é exigida na caminhada, seja ela cristã ou não.

Como tudo na vida, quanto mais determinados formos, mais atingiremos os nossos objetivos. É o que dizem: "Água mole em pedra dura tanto bate até que fura". E como isso pode ser decisivo para o nosso futuro.

A perseverança, na realidade, talvez seja uma das maiores virtudes que existem. Isso, porque apenas ela é capaz de nos fazer chegar ao fim. De fato, estudo, inteligência, empatia, preparação, amor, alegria e quaisquer outros são imprescindíveis para o que enfrentaremos na vida, mas, sem a perseverança, jamais alcançaremos os nossos propósitos.

Albert Einstein, famoso cientista alemão, tido como gênio pela maioria das pessoas, quando criança, tinha dificuldade em aprender e se comunicar. Porém, apesar dos obstáculos, Einstein revolucionou a Ciência.

Thomas Edison, um dos maiores inventores do século passado, fracassou 700 vezes antes de ter sucesso na criação da lâmpada incandescente. Inclusive, alguns relatos contam que, após anos de tentativas frustradas, certo dia, um dos auxiliares do inventor lhe questionou se valia a pena continuar, já que não haviam avançado nem um só passo. Foi então que Edison respondeu: "O quê? Não avançamos um só passo? Avançamos 700 passos rumo ao êxito final! Sabemos de 700 coisas que não deram certo! Estamos para além de 700 ilusões que mantínhamos anos atrás e que hoje não nos iludem mais. E a isso você chama perda de tempo?".[1]

Da mesma forma, Henry Ford, fundador da Ford Motor Company e desenvolvedor da linha de produção industrial de carros no mundo, que, no início de sua carreira, afundou sua reputação por conta do fracasso em alguns negócios automobilísticos. Porém, de acordo com a história, foram justamente esses erros que o fizeram se aperfeiçoar e evoluir, revolucionando, mais para frente, a indústria de automóveis.

---

[1] Portal Raízes. **A surpreendente resposta de Thomas Edison depois de 700 fracassos**. Disponível em *https://www.portalraizes.com/surpreendente-resposta-de-thomas-edison-depois-de-700-fracassos/*. Acesso em setembro de 2019.

Assim aconteceu também com Walt Disney, Isaac Newton, J.K. Rowling – escritora de Harry Potter – e tantos outros nomes.[2]

Entretanto, não é segredo para ninguém que, hoje em dia, talvez mais do que nunca, as pessoas tenham se tornado cada vez menos obstinadas em suas metas, relacionamentos e maneira de encarar a vida. É como se tudo que não trouxesse resultados instantâneos não valesse investimento ou esforço. Com isso, temos nos tornado uma geração que, ao menor sinal de confronto ou dificuldade, desiste em vez de lutar. O importante é o que posso fazer hoje; como estou me sentindo agora; o benefício que desfruto neste instante. Essa regra também tem sido aplicada, muitas vezes, para os medos que sentimos. Se nos deparamos com algum deles, por maior ou menor que seja, a nossa primeira reação é atentarmos para a força ou poder que ele tem de manipular, controlar e até ditar o que acontecerá. Isso ocorre porque, em grande parte das vezes, focamos demais no problema, medo ou situação negativa, quando deveríamos olhar para Aquele que prometeu estar conosco durante a jornada.

Sempre que penso nisso, eu me lembro da passagem de Mateus 8, quando Jesus acalmou a tempestade:

---

[2] Época Negócios. **18 famosos que fracassaram antes de se tornarem bem-sucedidos.** Disponível em *https://epocanegocios.globo.com/Carreira/noticia/2016/11/18-famosos-que-fracassaram-antes-de-se-tornarem-bem-sucedidos.html*. Acesso em setembro de 2019.

> Entrando ele no barco, seus discípulos o seguiram. De repente, uma violenta tempestade abateu-se sobre o mar, de forma que as ondas inundavam o barco. Jesus, porém, dormia. Os discípulos foram acordá-lo, clamando: "Senhor, salva-nos! Vamos morrer!" Ele perguntou: "Por que vocês estão com tanto medo, homens de pequena fé?" Então ele se levantou e repreendeu os ventos e o mar, e fez-se completa bonança. Os homens ficaram perplexos e perguntaram: "Quem é este que até os ventos e o mar lhe obedecem?".
> (Mateus 8.23-27)

Às vezes, estamos tão concentrados no tamanho daquilo que nos assusta que esquecemos Quem está no barco conosco. É por conta dessa perspectiva errada que, em muitas situações, somos engolidos pelos pensamentos e sentimentos contrários à verdade que já foi dita a respeito de quem somos e quem é Deus. Se escolhêssemos olhar para a grandeza, poder e invencibilidade divina, teríamos menos medo e pessimismo em nossos discursos e decisões.

O interessante é que a Bíblia continua nos contando, capítulos mais tarde, que uma situação muito similar aconteceu novamente com os discípulos. Porém, antes que qualquer outra palavra fosse dita, todos eles receberam uma ordem de Jesus:

> E logo ordenou Jesus que os seus discípulos entrassem no barco, e fossem adiante para o outro lado, enquanto despedia a multidão. E, despedida a multidão, subiu ao monte para

orar, à parte. E, chegada já a tarde, estava ali só. E o barco estava já no meio do mar, açoitado pelas ondas; porque o vento era contrário; Mas, à quarta vigília da noite, dirigiu-se Jesus para eles, andando por cima do mar. E os discípulos, vendo-o andando sobre o mar, assustaram-se, dizendo: É um fantasma. E gritaram com medo. Jesus, porém, lhes falou logo, dizendo: Tende bom ânimo, sou eu, não temais. E respondeu-lhe Pedro, e disse: Senhor, se és tu, manda-me ir ter contigo por cima das águas. E ele disse: Vem. E Pedro, descendo do barco, andou sobre as águas para ir ter com Jesus. (Mateus 14.22-29 – ACF)

Ali, os discípulos estavam conhecendo uma nova faceta do Mestre. E o que se sucedeu nos mostra que o relacionamento e a maneira como O enxergavam também mudou. A Palavra nos diz que Jesus ordenou que eles entrassem no barco, talvez, porque, na ausência dessa ordem, aqueles homens não fariam isso sozinhos.

Na primeira experiência com a tempestade, Jesus estava a bordo, e quando ela começou, logo O acordaram. Então, o Mestre, repreendendo a chuva forte e os próprios discípulos por não terem fé suficiente para fazerem o mesmo, em pouco tempo já havia acalmado o vento e a tempestade. Entretanto, no capítulo 14, apesar da ordem aos Seus companheiros, Cristo não afirmou que iria com eles. Naquele momento, imagino que, talvez, todos tenham associado a ideia de entrarem no barco com o que haviam vivido capítulos antes, porém com um agravante: Jesus não estaria lá.

Sem discutir, todos fizeram como o Mestre havia dito, e se afastaram da terra firme. Horas mais tarde, já no meio do mar, o barco começou a ser castigado pelas duras ondas e o vento contrário. Contudo, o curioso é que as Escrituras nos trazem dois dados importantes nessa passagem. O primeiro é que Cristo, ao despedir a multidão, subiu ao monte para orar e, apenas à tarde, achou-se só. A segunda é que, após ter ordenado aos discípulos que entrassem no barco, só voltou a encontrá-los na quarta vigília da noite, que seria o horário equivalente ao período entre 3 e 6 horas da manhã. Isso significa que, possivelmente, os seguidores de Cristo tiveram bastante tempo para colocar em prática o que haviam aprendido ou para se desesperar ainda mais do que da última vez. A Palavra não aborda de forma muito profunda a respeito da reação deles, mas imagino que ali, no meio do mar, os discípulos provavelmente se viram sem saber o que fazer.

Por certo, o pior lugar em que poderíamos estar é no meio. No meio dos processos, do furacão, da chuva forte. Porque, no início, conseguimos perceber que a tempestade está vindo e, no final, somos capazes de entender que ela está indo embora, mas no meio não temos noção de quanto tempo durará e o quanto de esforço e perseverança serão necessários para nos mantermos firmes. Vemos de onde o caos saiu, para onde ele vai, mas o difícil mesmo é sermos perseverantes no meio, e é aqui que muitas pessoas cometem as maiores atrocidades da vida. É aqui que muitos pulam do barco.

Sim, algumas vezes, enfrentaremos tempestades que parecem fortes demais, isso é ponto pacífico, porém desistir nunca foi uma opção. Não pode ser. Algo interessante sobre essa passagem de Mateus é que, juntamente com a ordem, o Senhor deu uma direção a Seus companheiros: que fossem adiante para o outro lado. Esse foi o complemento da ordenança de Cristo aos seus homens antes de entrarem no barco. Jesus nunca nos envia para algum lugar sem antes nos dar o que precisamos para completar a missão. Ali, os discípulos talvez tenham focado apenas no fato de o Mestre não estar presencialmente com eles, todavia, aquilo não era novidade para nenhum deles. Já haviam vivido uma situação semelhante antes, e Cristo já ensinara sobre como deveriam agir. Além disso, receberam uma ordem e direção.

Não importa a intensidade das chuvas que encararemos pelo caminho, se temos a direção de Deus, uma palavra do Céu, já sabemos que possuímos o que necessitamos para passar pelo que quer que seja. Por que, então, olhar para a tempestade? Seria ela mais forte do que a palavra que Cristo já nos deu? Poderia o vento ser mais poderoso que Aquele que nos ordenou a ir para o outro lado? Todas as vezes em que estiver complicado, lembre-se a Quem o mar, o vento e a tempestade obedecem.

A ordem não estava apenas sobre os Seus seguidores. Ela estava sobre o mar, sobre a tempestade, sobre o vento. E essa realidade continua a mesma. Em vez de focar no que está acontecendo ao seu redor, prefira mudar a sua ótica e olhar através da perspectiva do Céu. Se todas as coisas cooperam para o bem daqueles que amam a Deus e a Sua ordem já foi liberada, por que pular do barco? Não pule! Continue nele, pois, apesar dos perrengues, é o Senhor que lhe ajudará a suportar a tempestade e chegar do outro lado.

Precisamos parar de desistir no meio do caminho. Quantas coisas que estavam próximas de acontecer acabaram não vingando porque preferimos pular do barco em vez de tirar a água de dentro dele? Muitas vezes, parece mais fácil desistir do que gritar por socorro. Assim, em vez de clamarmos o nome de Jesus, escolhemos abandonar a embarcação, sem medir consequências, pensar nas outras pessoas ou até mesmo nos importar com as palavras de Deus que já recebemos. Muitos pensam que essa é a melhor opção por trazer um alívio imediato. O problema é que, quando fazemos isso, esquecemos que a única segurança física e tangível vai embora com essa escolha, nos levando a ficar à deriva.

Por outro lado, talvez, a sua realidade atual seja ainda pior que isso. Quem sabe você até tenha pensado em suicídio. Por mais complexas e horríveis que essas situações extremas possam ser, acredite, há esperança. A tempestade sempre termina, e quando menos esperamos, já estamos do outro lado, conforme a palavra que recebemos. Por isso, hoje, se você se encontra nesse lugar e está pensando em tirar a sua vida, eu tenho uma proposta: por que não a entregar para Alguém que realmente a queira? Alguém que já a comprou com Sua própria vida. Eu lhe garanto que qualquer coisa que você possa imaginar, por maior e melhor que seja, não chegará nem aos pés do que será o seu futuro se tomar essa decisão.

Não desista. Escolha a vida. Decida confiar e, a despeito das oposições, assista a você mesmo andando sobre as águas. Afinal, é como disse Thomas Edison: "Nossa maior fraqueza está em desistir. O caminho mais certo de vencer é tentar mais uma vez".

Além disso, vale lembrar que nós somos seres humanos com grandes e pequenas certezas. Por meio de ambas, ao longo de nossas vidas, vamos construindo e estabelecendo pilares de confiança a respeito de Deus, família, amizades, relacionamentos e por aí vai. De todos, colocamos a nossa maior e total confiança n'Ele. Porém, a questão é que, quando estamos no meio da tempestade, nossa fé começa a esmorecer e, aos poucos, com os açoites das ondas no barco, o vento forte e gelado, a chuva indomável, e todos os sentimentos e pensamentos contrários à confiança que dizíamos ter em Deus, passamos a ficar realmente abalados.

Em contrapartida, a história de Mateus 14 não termina por ali, o que nos traz ainda mais esperança. A Bíblia continua nos dizendo que, na quarta vigília da noite, Jesus, andando sobre as águas, dirigiu-se até o lugar em que os discípulos estavam. Os Seus homens, avistando-O de longe, pensaram se tratar de um fantasma. Apavorados ao ver alguém andando sobre as águas e se aproximando deles, todos gritaram de medo. Até que Cristo lhes disse: "Tende bom ânimo, sou eu, não temais".

A grande adversidade de quando estamos no meio das tempestades e nos deixamos levar por elas é que até aquilo que é maravilhoso e extraordinário passa a ser confundido e sufocado pelo medo. No momento em que o tumulto começa, é como se ficássemos cegos. Já passou da hora de escolhermos o que dominará o nosso coração e nossa mente. Porque é essa decisão que ditará o desfecho da nossa história.

Pedro entendeu bem esse princípio. No mesmo instante em que escutou aquelas palavras, o mais impulsivo dos discípulos logo respondeu que se, de fato, fosse Jesus, se Ele lhe ordenasse ir até onde estava, obedeceria o comando. Foi dessa forma que, ouvindo a confirmação do Mestre, Pedro andou sobre as águas. Nas tempestades da vida, muitas pessoas morrem, outras pulam do barco, outras tantas se desesperam, mas algumas, mesmo em meio às adversidades, se posicionam como Pedro e vivem as melhores experiências de suas vidas.

Chega de vivermos aquém do que podemos por estarmos ocupados demais sendo massacrados pelo medo e por tantas mentiras. Não somos produto das circunstâncias, mas resultado da identidade que Deus já nos deu. É por causa da cruz que não somos mais escravos do medo, dos nossos sentimentos ou de quaisquer outras coisas. Pelo contrário, somos filhos, parte da família de Deus. Somos realeza, e devemos não apenas nos posicionar como tal, mas abraçar essa verdade.

Certamente um príncipe ou princesa legítimos não se importariam se qualquer pessoa se aproximasse deles dizendo que não fazem parte da realeza. Isso, porque, obviamente, eles sabem de onde vieram, quem são seus pais e, por consequência, no que isso implica. Então, palavras assim, na pior das hipóteses, soariam como algo ridículo, uma vez que a verdade é inegável e está disponível para quem quiser ver. E conosco não é diferente, ou, pelo menos, não deveria ser. A nossa identidade determina a maneira como enxergamos e encaramos as situações que chegam até nós. Afinal, é como dizem, a nossa perspectiva sobre as coisas é muito mais influenciada por quem somos do que pelo que elas realmente são.

Se cremos que somos filhos de Deus e que Ele é o Rei dos reis, a nossa primeira reação diante de qualquer cenário deveria partir da mentalidade que nos garante que, através de Jesus, nós já somos vencedores. Conhecemos o final da história. Não temos motivos para ter medo ou desistir. Tudo o que precisávamos saber já foi dito na cruz. É bem verdade que, de vez em quando, não entenderemos algumas coisas, mas tudo bem, porque não andamos pelo que vemos, mas por fé.

A fé é a certeza daquilo que ainda não se materializou, mas já é realidade no mundo espiritual. É na espera, enquanto mantemos a esperança, que a fé tem espaço para crescer. Por outro lado, a esperança tem um jeito curioso de se desenvolver:

> Não só isso, mas também nos gloriamos nas tribulações, porque sabemos que a tribulação produz perseverança; a perseverança, um caráter aprovado; e o caráter aprovado, esperança. E a esperança não nos decepciona, porque Deus derramou seu amor em nossos corações, por meio do Espírito Santo que ele nos concedeu. (Romanos 5.3-5)

Por piores que sejam, são as tribulações que geram em nós um coração esperançoso e perseverante. Isso não anula as dificuldades, mas, com certeza, nos protege contra amarguras, desistência e reclamações. Portanto, lembre-se: quanto mais atribulados, mais recebemos um caráter aprovado e passamos a nos assemelhar a Cristo.

Para mim, umas das partes mais impressionantes nesse trecho de Mateus é o instante em que Jesus surge caminhando sobre as águas. A despeito de toda tempestade, medo, vento forte e caos, lá estava o Rei da Glória indo de encontro aos discípulos. E é exatamente assim que Ele continua fazendo conosco ainda hoje. Enquanto somos surpreendidos e, tantas vezes, ficamos assustados por aquilo que tenta nos paralisar, Jesus permanece andando calmamente em nossa direção. Ao contrário do senso comum, no meio dos nossos piores problemas e crises mais profundas, sempre poderemos encontrá-lO. Na verdade, antes de chegarmos, Ele já está lá. Apenas saber disso deveria mudar tudo dentro de nós.

Portanto, em vez de olhar para as circunstâncias, prefira trazer à memória a palavra que foi lançada antes da tempestade. Firme-se nela e, enquanto faz isso, comece a enxergar o Mestre indo em sua direção. Porque, acredite, Ele já está andando sobre as águas turbulentas que tanto assustam você.

Naquele momento, assim que aceitou o convite de Jesus, Pedro desceu do barco e começou a dar pequenos passos. Porém, ao sentir o vento forte, teve medo e, lentamente, foi afundando. O medo e a falta de fé são os maiores limitadores para vivermos a vontade perfeita de Deus. Quando valorizamos mais esses dois do que a palavra que recebemos do Senhor nos encorajando a sair do barco e rumar ao desconhecido, sabotamos o futuro que tanto clamamos em nossas orações.

O "assim na Terra como no Céu" não pressupõe medo, falta de fé ou qualquer outra coisa que possa nos bloquear ou afastar do propósito divino. Na verdade, não existe espaço para isso no Reino de Deus. Se desejamos viver inteiramente para cumprir a Sua vontade, precisamos saber que isso nos custará tudo.

Ser um discípulo de Cristo exige radicalismo. É tudo ou nada.

É evidente que não temos de estar prontos e muito menos sermos perfeitos, mas significa que teremos de nos entregar por completo. A vida com Jesus não diz respeito a uma religião, mas a um estilo de vida de renúncia, entrega e sacrifício. Estilo de vida esse que custará o nosso conforto, segurança, reputação, ideologias e vontades. Entretanto, é por meio dele que alcançamos a vida plena e abundante para a qual fomos criados. Ninguém deveria se contentar com menos. Se tivéssemos noção do que quer dizer habitar e permanecer no centro da vontade divina, acessando diariamente a vida abundante que as Escrituras nos prometem, talvez valorizaríamos menos a nossa própria vontade, nossos medos, a opinião das pessoas ou o poder das trevas.

Contudo, é bem verdade também que o fato de andarmos com Jesus não significa que nunca mais sentiremos medo ou teremos vontades diferentes dos planos de Deus. Pedro, inclusive, também é prova disso. Porém, a Bíblia nos garante que:

> No amor não há medo; pelo contrário o perfeito amor expulsa o medo, porque o medo supõe castigo. Aquele que tem medo não está aperfeiçoado no amor. (1 João 4.18)

Nem sempre nos sentiremos fortes, corajosos ou teremos vontade de obedecer. O problema é quando permitimos que esses sentimentos ruins ditem a forma como viveremos. Sentimentos mentem. Eles nos enganam e nem sempre são confiáveis. Todavia, quando escolhemos perseverar e continuar caminhando apesar do que sentimos, temos não só a chance de andar sobre aquilo que nos assustava, como de ser aperfeiçoados ao longo da jornada.

Uma das coisas que mais me fascina a respeito da caminhada cristã é o fato de estarmos em constante transformação. Isso me faz pensar ainda mais na necessidade urgente de aprendermos a ser perseverantes, porque essa transformação, na maioria das vezes, acontece de maneira lenta e singular com cada pessoa. Logo, se desistimos antes da hora, nunca veremos os resultados de quem poderíamos ter sido se tivéssemos decidido permanecer e lutar.

Eu também fico cansado às vezes. Mesmo estando no centro da vontade de Deus e caminhando com Cristo há tantos anos, eu também me sinto fraco, impotente, tenho medo e dificuldade de confiar em alguns momentos. Entretanto, desistir nunca foi uma opção, porque eu sei que Ele está comigo, segurando a minha mão. E é justamente por isso que escolho perseverar, afinal apenas Jesus é capaz de me fazer andar sobre as águas. Quando me encontro sozinho, machucado, vulnerável, triste, quando todas as luzes se apagam e os aplausos somem, somente Um permanece ao meu lado. Apenas Ele escolhe continuar acreditando em mim, mesmo quando nem eu consigo fazer isso. É pela Sua força e por meio da Sua palavra que eu caminho.

Cristo já lançou a palavra antes de entrarmos no barco — "Vão adiante para o outro lado" — e quando O avistarmos sobre as águas, Ele nos convidará a fazer o mesmo — "Vem". Jesus não volta atrás em Sua palavra, então, se a ordem é chegar ao outro lado, permaneça, pois apesar do que for, a sua obediência o fará chegar lá, e muito mais forte do que quando você entrou no barco. Hoje, você tem a oportunidade de escolher. Nós sempre temos. Podemos optar por pular do barco e ficar sempre à deriva, ou permanecer nele até a ordem de Jesus, que nos fará caminhar sobre as águas.

Deuteronômio 30 fala exatamente sobre isso:

> O que hoje lhes estou ordenando não é difícil fazer, nem está além do seu alcance. Não está lá em cima no céu, de modo que vocês tenham que perguntar: "Quem subirá ao céu para consegui-lo e vir proclamá-lo a nós a fim de que lhe obedeçamos?". Nem está além do mar, de modo que vocês tenham que perguntar: "Quem atravessará o mar para consegui-lo e, voltando, proclamá-lo a nós a fim de que lhe obedeçamos?". Nada disso. A palavra está bem próxima de vocês; está em sua boca e em seu coração; por isso vocês poderão obedecer-lhe. Vejam que hoje ponho diante de vocês vida e prosperidade, ou morte e destruição. Pois hoje lhes ordeno que amem o Senhor, o seu Deus, andem nos

seus caminhos e guardem os seus mandamentos, decretos e ordenanças; então vocês terão vida e aumentarão em número, e o Senhor, o seu Deus, os abençoará na terra em que vocês estão entrando para dela tomar posse. Se, todavia, o seu coração se desviar e vocês não forem obedientes, e se deixarem levar, prostrando-se diante de outros deuses para adorá-los, eu hoje lhes declaro que sem dúvida vocês serão destruídos. Vocês não viverão muito tempo na terra em que vão entrar e da qual vão tomar posse, depois de atravessarem o Jordão. Hoje invoco os céus e a terra como testemunhas contra vocês, de que coloquei diante de vocês a vida e a morte, a bênção e a maldição. **Agora escolham a vida**, para que vocês e os seus filhos vivam. (Deuteronômio 30.10-19 – grifo do autor)

    Perceba, além de colocar diante de nós a decisão, Ele ainda nos dá uma dica: escolha a vida. Talvez, hoje, você esteja sem esperança, cansado, com medo, frustrado ou ferido, mas, se de tudo, eu pudesse lhe dar um conselho, diria: permaneça no barco. Pois a chance de recomeçar só é possível após a decisão de permanecer.

capítulo 4

Importante

Todo mundo tem a necessidade de se sentir importante. Independentemente da idade ou da quantidade de dinheiro no banco, sempre, de alguma maneira, procuramos por isso. Sendo conscientes ou não. Todos nós nascemos com a necessidade de pertencer, sermos acolhidos, reconhecidos, importantes. E com "importantes" quero dizer nos dois âmbitos: ser e fazer.

O ser humano busca por propósito. Queremos ter voz, gerar impacto no mundo, e nos engajar em algo que seja maior do que nós mesmos. Na verdade, fomos criados para viver coisas grandes e extraordinárias. É por conta disso que temos um anseio tão profundo por sermos e fazermos coisas importantes.

Recentemente eu estava lendo um livro muito interessante que falava a respeito disso. A carência de se sentir importante é intrínseca à humanidade. Essa informação não tem nada de original. Não existe uma pessoa sequer que, de algum modo, não deseje ser relevante ou reconhecida em sua comunidade e fora dela. Foi isso que o autor do livro comprovou em um dos capítulos. Dale Carnegie, citando John Dewey, professor e um dos maiores filósofos norte-americanos, expôs a teoria deste último que defende que a maior aspiração humana é o "desejo de ser importante".[1]

A questão é que, muitas vezes, esperamos esse reconhecimento de pessoas. Queremos ser aprovados, aceitos, importantes para os outros, e é aqui que mora o problema. Quando isso acontece, das duas, uma: ou nos tornamos dependentes e viciados em elogios humanos, ou começamos a nos mover somente pelo orgulho, já que podemos cair no erro de achar que merecemos alguma coisa. Isso sem contar que, muito provavelmente, passaremos a alimentar o temor de homens em nosso coração. Assim, tudo o que fizermos terá muito mais a ver com o que os outros estão pensando ou comentando do que como o próprio Deus está enxergando essa situação. Além do mais, no momento em que nos permitimos levar por esses sentimentos e pensamentos, corremos o risco de achar que o mundo gira ao nosso redor. Nós não somos o centro da Terra, e precisamos parar de agir como se fôssemos.

Não que não possamos receber elogios ou nos sentir apreciados pelas pessoas, mas a linha é muito tênue e, nesse sentido, precisamos tomar cuidado. Tudo

---

[1] CARNEGIE, Dale. **Como fazer amigos e influenciar pessoas**. São Paulo: Companhia Editora Nacional, 2012.

depende de onde está o nosso coração. É claro que ser e fazer coisas importantes, automaticamente, gerarão atenção e aplausos, mas é o que permitimos que isso cause dentro de nós que importa. Acredite, ainda que recebamos todo amor e reconhecimento terrenos, e tenhamos pessoas boas que se importem e façam de tudo por nós, não nos sentiremos completos. Isso, porque, dentro de nós, existe um clamor eterno, que só pode ser saciado pela eternidade. É o que Eclesiastes nos diz:

> Ele fez tudo apropriado a seu tempo. Também pôs no coração do homem o anseio pela eternidade; mesmo assim este não consegue compreender inteiramente o que Deus fez. (Eclesiastes 3.11)

Eis aqui uma controvérsia interessante. Apesar de termos a necessidade de sermos importantes, somente a aprovação de Um é capaz de nos fazer sentir assim de verdade. Fomos criados para ser eternos, não finitos. É por isso que, mesmo sem saber, corremos atrás da eternidade. Contudo, ao longo de nossas vidas, somos levados a acreditar que o reconhecimento de homens é o que nos fará ser alguém. Então, se nos encaixarmos na fórmula mágica, nos tornando o padrão de sucesso preestabelecido por pessoas que nem nos conhecem, ganhamos uma estrelinha dourada e entramos para o time. Passamos a pertencer. Muitas vezes, pertencer ao que nem sabemos, mas ficamos felizes somente por termos chegado lá. Por pensamentos assim é que acabamos associando a felicidade plena e até mesmo nossa identidade ao dinheiro, fama, roupas caras, casas enormes, carros importados e tudo o que vem com isso. Porém, o que as pessoas esquecem é que ter nunca preencherá o vazio do ser. "Ter não é o novo ser", e nunca será. Enquanto não descobrimos quem somos em Deus, podemos tentar tampar o vazio com todo sucesso, riquezas e contatos especiais, mas, no final do dia, quando deitarmos a nossa cabeça no travesseiro, ainda continuaremos esburacados por dentro. É o vão da eternidade dando as caras, novamente.

Podemos fugir, ignorar e até tentar nos convencer de que não faz sentido, mas, no fundo, algo está faltando, e nós sabemos. Sempre que penso nisso, eu me lembro da parábola do Filho Pródigo. A Bíblia nos conta que:

> Jesus continuou: "Um homem tinha dois filhos. O mais novo disse ao seu pai: 'Pai, quero a minha parte da herança'. Assim, ele repartiu sua propriedade entre eles. Não muito tempo depois, o filho mais novo reuniu tudo o que tinha, e foi para uma região distante; e lá desperdiçou os seus bens vivendo irresponsavelmente. Depois de ter gasto tudo, houve uma grande fome em toda aquela região, e ele começou a passar necessidade. Por isso foi empregar-se com um dos cidadãos daquela região, que o mandou para o seu campo

a fim de cuidar de porcos. Ele desejava encher o estômago com as vagens de alfarrobeira que os porcos comiam, mas ninguém lhe dava nada. Caindo em si, ele disse: 'Quantos empregados de meu pai têm comida de sobra, e eu aqui, morrendo de fome! Eu me porei a caminho e voltarei para meu pai, e lhe direi: Pai, pequei contra o céu e contra ti. Não sou mais digno de ser chamado teu filho; trata-me como um dos teus empregados'. A seguir, levantou-se e foi para seu pai. Estando ainda longe, seu pai o viu e, cheio de compaixão, correu para seu filho, e o abraçou e beijou". (Lucas 15.11-20)

E não parou por aí. O fim da história é ainda melhor:

"O filho lhe disse: 'Pai, pequei contra o céu e contra ti. Não sou mais digno de ser chamado teu filho'. Mas o pai disse aos seus servos: 'Depressa! Tragam a melhor roupa e vistam nele. Coloquem um anel em seu dedo e calçados em seus pés. Tragam o novilho gordo e matem-no. Vamos fazer uma festa e comemorar. Pois este meu filho estava morto e voltou à vida; estava perdido e foi achado'. E começaram a festejar. Enquanto isso, o filho mais velho estava no campo. Quando se aproximou da casa, ouviu a música e a dança. Então chamou um dos servos e perguntou-lhe o que estava acontecendo. Este lhe respondeu: 'Seu irmão voltou, e seu pai matou o novilho gordo, porque o recebeu de volta são e salvo'. O filho mais velho encheu-se de ira, e não quis entrar. Então seu pai saiu e insistiu com ele. Mas ele respondeu ao seu pai: 'Olha! todos esses anos tenho trabalhado como um escravo ao teu serviço e nunca desobedeci às tuas ordens. Mas tu nunca me deste nem um cabrito para eu festejar com os meus amigos. Mas quando volta para casa esse seu filho, que esbanjou os teus bens com as prostitutas, matas o novilho gordo para ele!'. Disse o pai: 'Meu filho, você está sempre comigo, e tudo o que tenho é seu. Mas nós tínhamos que comemorar e alegrar-nos, porque este seu irmão estava morto e voltou à vida, estava perdido e foi achado'". (Lucas 15.21-32)

Quase sempre, quando escuto alguém comentando sobre essa passagem, focam no filho mais novo ou no mais velho. É difícil ver alguém prestando atenção naquele pai. Mas é justamente ele que mais fala comigo todas as vezes que leio esse trecho das Escrituras. Eu sou pai, e acho que, para os que se encontram nessa posição, é inevitável não encarar essa parábola de forma diferente.

Imagino aquele homem, bondoso e amoroso, planejando e sonhando com a chegada de seus filhos ao mundo. Gosto de pensar nas horas que aquele pai investiu, após o nascimento de seus meninos, ensinando-lhes tudo o que sabia, brincando com eles e dando-lhes o melhor de si. Risadas, abraços e verdade permeavam aquela casa inteira. Correções e perdão também. Porém, por algum motivo, ao crescer, o filho mais novo decide pedir a sua parte da herança e ir embora de lá. Aquilo não pareceu pegar o pai de surpresa. Mas sabemos que o abalou, apenas pela maneira como ele reagiu ao ver seu filho voltando para casa ao final da história. Além disso, em nenhum momento, a Palavra descreve algo a respeito daquele homem, o que sentiu, pensou ou como lidou com aquela atitude do rapaz.

Entretanto, não apenas como pai, mas como ser humano, eu me coloco em seu lugar. Ninguém recebe herança de pessoas vivas. A herança só é válida após a morte. Isso quer dizer que, além da dor pelo fato de o filho ter ido embora, aquele pai teve de enfrentar as palavras não ditas do menino: "Pai, você está morto para mim"; "Eu não pertenço mais a este lugar"; "Você não pode me prender. A partir de hoje, eu vou fazer do meu jeito"; "Não tenho motivo nenhum para ficar aqui".

O que aconteceu com o filho, nós sabemos, mas penso naquele pai assistindo ao seu caçula indo embora. Lentamente, caminhando para longe, passando o portão da propriedade até sumir no horizonte. Talvez ele não tenha refletido sobre isso, mas seu pai pode ter chorado por meses até pegar no sono. Não importava quanto tempo passasse, o quarto ainda tinha o seu cheiro e a casa mantinha a sua presença viva na memória. Alguns de seus pertences, abandonados em vários cômodos, encarregavam-se de torturar ainda mais aquele homem. E por mais motivos que tivesse, em vez de raiva ou ódio, aquele pai nutria o mesmo amor constante e compassivo pelo menino rebelde. Amor que, desde a partida do filho, o havia ferido, dilacerado e maltratado. Ainda assim, nem se se esforçasse seria capaz de superar aquela perda.

Contudo, o que essa história mais fala comigo é o fato de que, mesmo que fugisse ou tentasse se esconder, o rapaz jamais conseguiria se proteger daquele amor. Ele poderia correr na direção contrária, ferir, tratar com indiferença e até esquivar-se de seu pai, mas nunca, sob nenhuma hipótese, seria capaz de fazer com que ele deixasse de amá-lo. O garoto sempre seria vítima daquele amor, estando perto ou não. Nem mesmo a sua vontade seria capaz de mudar isso. A despeito do que fosse, nada faria com que o amor do pai não alcançasse o filho.

Quando penso nesse amor, isso faz mais do que somente me constranger, isso me transforma. De todos os lugares por onde aquele jovem passou, de tudo o que acabou experimentando, no fim, ele percebeu que nada nem ninguém conseguiria fazer com que ele se sentisse como o pai fazia: importante.

Da mesma forma, o amor de Deus é a única coisa no mundo capaz de nos trazer a verdade a respeito do quão importantes somos. Na cruz, Jesus revelou a nossa identidade e real importância. Ele enxergou em nós e nos delegou um valor tão astronômico e ilógico, que não achou que a Sua vida fosse tão importante quanto a nossa. Não só isso, mas ouso dizer que, justamente por esse motivo, nós somos o centro do coração de Cristo.

O Evangelho é teocêntrico, e quanto a isso não existem discussões. Jesus sempre será o centro. O Seu lugar ninguém toma. Ele sempre será o primeiro e único. Aliás, toda a Escritura converge em Cristo. Mesmo no Antigo Testamento, as profecias já apontavam para o Salvador:

> Ele foi oprimido e afligido, contudo não abriu a sua boca; como um cordeiro foi levado para o matadouro, e como uma ovelha que diante de seus tosquiadores fica calada, ele não abriu a sua boca. Com julgamento opressivo ele foi levado. E quem pode falar dos seus descendentes? Pois ele foi eliminado da terra dos viventes; por causa da transgressão do meu povo ele foi golpeado. Foi-lhe dado um túmulo com os ímpios, e com os ricos em sua morte, embora não tivesse cometido qualquer violência nem houvesse qualquer mentira em sua boca. Contudo foi da vontade do Senhor esmagá-lo e fazê-lo sofrer, e, embora o Senhor tenha feito da vida dele uma oferta pela culpa, ele verá sua prole e prolongará seus dias, e a vontade do Senhor prosperará em sua mão. Depois do sofrimento de sua alma, ele verá a luz e ficará satisfeito; pelo seu conhecimento meu servo justo justificará a muitos, e levará a iniquidade deles. (Isaías 53.7-11)

Tudo é sobre Jesus. Ele é o cerne, e sempre será. Porém, o alvo do Seu coração, do Seu amor somos nós. Não há como existir maior prova de amor e nível mais alto de importância do que esse. Você é importante;

não porque eu estou dizendo, não porque as pessoas, as redes sociais ou os seus diplomas mostram isso, mas porque tudo o que Cristo fez foi por você. O sangue, a tortura, a cruz, o peso do pecado, a distância de Deus, a forma humana, o amor. Tudo foi por você. E somente quem nos criou e comprou tem a legalidade de dizer quem somos.

Pode ser que sua história, assim como a minha, não tenha sido tão feliz e boa em alguns momentos. De fato, o legado da sua família, seus traumas, seu passado e relacionamentos talvez joguem contra você. Eu não sei de onde você veio. Não sei o seu nome, seus hábitos ou até mesmo se luta contra algum pecado. Mas eu sei quem a cruz faz de você. Eu sei quem você é capaz de se tornar por meio do sacrifício de Cristo. Eu sei o quanto você vale para Ele, e isso é suficiente.

Entretanto, algo que me fascina em Jesus é que Ele não esperou a crucificação para nos mostrar tudo isso. Desde antes da Sua chegada aqui na Terra, a Sua vida já gritava essa verdade. Zaqueu, os discípulos, a mulher do fluxo de sangue, Jairo e sua família, a mulher samaritana, e a lista continua até chegar em mim e em você.

Através de Cristo, por meio da fé, fomos justificados e adotados por Deus. Você é filho d'Ele, e a sua identidade está fixa nessa verdade. Porém, a escolha de viver debaixo dessa revelação é apenas sua.

Ao mesmo tempo, pense comigo: imagine alguém que passa a vida inteira sem saber que seu tataravô era de uma linhagem real, morreu e deixou uma grande herança para ele, seu parente mais próximo. Como não conseguiram achar o herdeiro, esse título e dinheiro jamais chegaram ao seu novo dono. Agora imagine que essa pessoa, ao longo de toda a sua trajetória, por mais trabalhadora e esforçada que fosse, nunca conseguiu conquistar grandes bens, fazer viagens internacionais ou comprar presentes caros para quem amava. Entretanto, anos mais tarde, um de seus netos descobriu a história e resolveu requerer o direito de seu avô. Aquele título, dinheiro e influência mudariam completamente a existência daquele herdeiro direto, mas por não saber que tudo isso já era dele, viveu toda a sua vida de maneira ordinária. A fortuna, a certidão de realeza, bens materiais e tudo o que viesse com isso já pertenciam àquela pessoa, mas ela não desfrutou de nada por nunca ter tido acesso a uma simples informação de que era a proprietária. Muitas vezes, é assim que agimos com Deus. Recebemos a filiação divina, todos os benefícios, regalias e até o direito à herança, mas continuamos vivendo de forma miserável e desimportante.

Pare de apenas sobreviver. Pare de agir ou se comportar como se você fosse qualquer um. Você não é, porque Jesus o trouxe para a família, e isso tem consequências. A forma como vivemos aqui na Terra será cobrada quando o Julgamento Final acontecer. Portanto, não esqueça de Quem você é filho. Viva de modo que cada segundo seu manifeste o Reino do seu Pai.

Além de tudo, isso quer dizer que somos irmãos. Não somos adversários ou concorrentes. Eu não sou melhor do que você e nem o contrário. Apesar de termos o mesmo Pai e pertencermos à mesma família, somos pessoas diferentes, e, por isso, fomos criados para propósitos particulares e únicos.

A comparação é um dos venenos mais demoníacos que existe. A verdade é que ela é infundada, pois, se somos todos tão diferentes e com propósitos diversos, que proveito teria se fôssemos todos parecidos? Você já parou para pensar que a sua nacionalidade, o seu cabelo, a cor dos seus olhos, pele, a sua personalidade, a família em que nasceu e até mesmo a sua classe social têm um porquê? E que mesmo as coisas ruins da sua história podem ser transformadas em algo bom apenas por você escolher se submeter ao que Deus tem para a sua vida? Esaú e Jacó são exemplos disso.

A Bíblia nos conta que, sendo Isaque já idoso e estando cego, decidiu abençoar a Esaú, seu filho mais velho, antes de partir. Rebeca, mãe deste último, ao ouvir as palavras do marido e o comando que havia dado a Esaú para caçar algo para que seu pai comesse, avisou seu filho favorito, Jacó, orientando-o que fizesse o mesmo, preparasse uma refeição, e se passasse por seu irmão para receber a bênção em seu lugar. Então, a história continua:

> Disse Jacó a Rebeca, sua mãe: "Mas o meu irmão Esaú é homem peludo, e eu tenho a pele lisa. E se meu pai me

apalpar? Vai parecer que estou tentando enganá-lo, fazendo-o de tolo e, em vez de bênção, trarei sobre mim maldição". Disse-lhe sua mãe: "Caia sobre mim a maldição, meu filho. Faça apenas o que eu digo: Vá e traga-os para mim". Então ele foi, apanhou-os e os trouxe à sua mãe, que preparou uma comida saborosa, como seu pai apreciava. Rebeca pegou as melhores roupas de Esaú, seu filho mais velho, roupas que tinha em casa, e colocou-as em Jacó, seu filho mais novo. Depois cobriu-lhe as mãos e a parte lisa do pescoço com as peles dos cabritos, e por fim entregou a Jacó a refeição saborosa e o pão que tinha feito. Ele se dirigiu ao pai e disse: "Meu pai". Respondeu ele: "Sim, meu filho. Quem é você?" Jacó disse a seu pai: "Sou Esaú, seu filho mais velho. Fiz como o senhor me disse. Agora, assente-se e coma do que cacei para que me abençoe". Isaque perguntou ao filho: "Como encontrou a caça tão depressa, meu filho?" Ele respondeu: "O Senhor, o seu Deus, a colocou no meu caminho". Então Isaque disse a Jacó: "Chegue mais perto, meu filho, para que eu possa apalpá-lo e saber se você é realmente meu filho Esaú". Jacó aproximou-se do seu pai Isaque, que o apalpou e disse: "A voz é de Jacó, mas os braços são de Esaú". Não o reconheceu, pois seus braços estavam peludos como os de Esaú, seu irmão; e o abençoou. Isaque perguntou-lhe outra vez: "Você é mesmo meu filho Esaú?" E ele respondeu: "Sou". Então lhe disse: "Meu filho, traga-me da sua caça para que eu coma e o abençoe". Jacó a trouxe, e o pai comeu; também trouxe vinho, e ele bebeu. Então seu pai Isaque lhe disse: "Venha cá, meu filho, dê-me um beijo". Ele se aproximou e o beijou. Quando sentiu o cheiro de suas roupas, Isaque o abençoou [...]. (Gênesis 27.11-27)

No final, Jacó roubou o direito de primogenitura e a bênção de seu irmão mais velho, que, furioso, decidiu matá-lo. O filho mais novo, então, teve de fugir, sendo condenado a viver distante de sua família e tendo seu irmão como maior inimigo.

Tentar viver uma vida que não é nossa gera um jugo de culpa e consequências pesadas demais. Quando tentamos ser outra pessoa, automaticamente, deixamos de lado quem nós fomos criados para ser, e se estamos ocupados sendo os outros, quem fará o nosso papel?

Vale lembrar, assim, que a falta de identidade e a comparação andam de mãos dadas. Se não sabemos quem somos e o que carregamos de especial, torna-se fácil e tentador aderirmos à vida que gostaríamos, e não a que Deus projetou para nós. O problema é que, quando analisamos os outros, quem são e a forma como vivem, nós nos esquecemos de que essa é uma visão totalmente parcial. A verdade é que não sabemos, de fato, quais são as dificuldades profundas das pessoas que tanto admiramos. Não existem vidas perfeitas. Dinheiro, fama e bens materiais não são tudo. De que vale ter tudo isso e não ter paz no final do dia? Você desistiria de sua salvação em troca de todo dinheiro que pudesse contar? Consegue imaginar ter de escolher entre fama ou uma alegria genuína? Algumas coisas não podem ser compradas. Por isso, volte para a realidade e pare de ficar fantasiando o quanto a vida alheia é perfeita. Cada um tem as suas batalhas para lutar, não ache que alguns estão imunes a isso, porque nem status, influência ou todas as posses do Universo são capazes de preencher um coração que não tem esperança, paz e alegria que vêm do Céu.

Mude a ótica. Escolha olhar para o que você e a sua história possuem de bom. Todos temos coisas incríveis para compartilhar. Valorize a singularidade que existe em você. E não apenas isso, lembre-se de que a falta de identidade só pode ser preenchida de uma forma: contemplação. Quanto mais contemplamos a Deus e nos aproximamos d'Ele, mais descobrimos quem somos, e mais prazer nisso teremos. Ao mesmo tempo, quando contemplamos, somos transformados de glória em glória. É o que 2 Coríntios nos garante:

> Mas todos nós, com rosto descoberto, refletindo como um espelho a glória do Senhor, somos transformados de glória em glória na mesma imagem, como pelo Espírito do Senhor.
> (2 Coríntios 3.18 – ACF)

Apenas aproxime-se de Jesus e Lhe entregue tudo. Permita que Ele lave, restaure e mostre a sua real identidade e importância no Reino. Porque, no final das contas, o que nos faz ser importantes é o fato de sermos amados por Deus, e isso independe de reciprocidade. Se Ele acredita, investe e enxerga tanto valor em nós, por que não nos daríamos uma oportunidade de recomeçar também?

Talvez, muitos tenham feito com que você não se sentisse amado, valorizado ou importante. Pode ser que, ao longo da sua trajetória, muitas palavras mentirosas tenham rondado e até destruído a identidade que o Criador lhe deu. Ou quem sabe, você tenha aprendido a construir a sua vida sob os aplausos das pessoas, tornando-se dependente deles. Talvez você tenha vivido todos os seus dias até aqui como um escravo da comparação, vagando sem rumo e sem identidade. Seja como for, a escolha para recomeçar com a perspectiva correta – sabendo quem você é realmente – é apenas sua, e isso está acessível hoje. Agora. Portanto, posicione-se como um filho de Deus e nunca se esqueça de que nada nem ninguém jamais conseguirá fazer com que você se sinta tão importante como Jesus fez.

Capítulo 5

Falta uma coisa

Pedro sempre foi um dos meus personagens bíblicos favoritos. Desde pequeno, eu já me identificava com o seu jeito impulsivo e direto. Acho que porque, de todos os discípulos, ele era o que mais se parecia comigo. E, apesar dos infinitos erros e correções a que foi submetido ao longo de sua caminhada com Cristo, ele sempre me soou o mais sincero dos doze, e isso me inspira a querer ser mais assim também.

As Escrituras nos dizem que, antes de ser encontrado por Jesus, esse apóstolo era pescador, uma profissão muito comum na época. Não temos muitas informações a respeito de sua vida antes do Mestre, mas podemos descobrir bastante sobre sua personalidade, contexto social e maneira de lidar com as situações, apenas lendo os evangelhos. Porém, melhor do que isso: sabemos quem ele se tornou após andar com Jesus.

O bom de nos encontrarmos com Cristo é que Ele desconstrói o velho homem para forjar algo novo e melhor em nós. O Pedro do início dos evangelhos não é, nem de longe, o mesmo do final. Enquanto todos só viam um pescador de peixes, Jesus já o enxergava como pescador de homens. Essa era a sua verdadeira identidade, e foi isso que ele aprendeu a reconhecer e valorizar ao longo de sua história com o Salvador.

Entretanto, mesmo após a linda, sacrificante e indescritível caminhada ao lado do Mestre como pescador de homens, Pedro, depois da crucificação, decidiu voltar à sua ocupação anterior. E, talvez, esse tenha sido um dos seus maiores erros. A Palavra nos diz que:

> Depois disso Jesus apareceu novamente aos seus discípulos, à margem do mar de Tiberíades. Foi assim: Estavam juntos Simão Pedro; Tomé, chamado Dídimo; Natanael, de Caná da Galileia; os filhos de Zebedeu; e dois outros discípulos. "Vou pescar", disse-lhes Simão Pedro. E eles disseram: "Nós vamos com você". **Eles foram e entraram no barco, mas naquela noite não pegaram nada**. Ao amanhecer, Jesus estava na praia, mas os discípulos não o reconheceram. Ele lhes perguntou: "Filhos, vocês têm algo para comer?" "Não", responderam eles. Ele disse: "Lancem a rede do lado direito do barco e vocês encontrarão". Eles a lançaram, e não conseguiam recolher a rede, tal era a quantidade de peixes. O discípulo a quem Jesus amava disse a Pedro: "É o Senhor!" Simão Pedro, ouvindo-o dizer isso, vestiu a capa, pois a havia tirado, e lançou-se ao mar. Os outros discípulos

vieram no barco, arrastando a rede cheia de peixes, pois estavam apenas a cerca de noventa metros da praia. Quando desembarcaram, viram ali uma fogueira, peixe sobre brasas, e um pouco de pão. Disse-lhes Jesus: "Tragam alguns dos peixes que acabaram de pescar". Simão Pedro entrou no barco e arrastou a rede para a praia. Ela estava cheia: tinha cento e cinquenta e três grandes peixes. (João 21.1-11a – grifo do autor)

E a passagem não para por aí:

Embora houvesse tantos peixes, a rede não se rompeu. Jesus lhes disse: "Venham comer". Nenhum dos discípulos tinha coragem de lhe perguntar: "Quem és tu" Sabiam que era o Senhor. Jesus aproximou-se, tomou o pão e o deu a eles, fazendo o mesmo com o peixe. Esta foi a terceira vez que Jesus apareceu aos seus discípulos, depois que ressuscitou dos mortos. Depois de comerem, Jesus perguntou a Simão Pedro: "Simão, filho de João, você me ama realmente mais do que estes?" Disse ele: "Sim, Senhor, tu sabes que te amo". Disse Jesus: "Cuide dos meus cordeiros". Novamente Jesus disse: "Simão, filho de João, você realmente me ama?" Ele respondeu: "Sim, Senhor tu sabes que te amo". Disse Jesus: "Pastoreie as minhas ovelhas". Pela terceira vez, ele lhe disse: "Simão, filho de João, você me ama?" Pedro ficou magoado por Jesus lhe ter perguntado pela terceira vez "Você me ama?" e lhe disse: "Senhor, tu sabes todas as coisas e sabes que te amo". Disse-lhe Jesus: "Cuide das minhas ovelhas". (João 21.11b-17)

Ali, Pedro, o pescador de homens, tinha voltado exatamente para o mesmo ponto onde Jesus o havia encontrado pela primeira vez. O lugar onde ele não pescava coisa alguma, até que Cristo chegou e mudou sua vida para sempre. E comigo aconteceu da mesma forma. Eu me lembro exatamente do momento em que aceitei a Jesus e de como essa decisão transformou a minha história radicalmente. É impossível sermos os mesmos quando Ele aparece em nossas vidas.

Hoje, olho para trás e já não sou capaz de me lembrar com clareza de tudo o que Deus transformou em mim, de dentro para fora. Foram tantos processos, mudanças de mentalidade, hábitos e caráter. Isso sem contar o propósito único e especial que recebi d'Ele. Jesus trouxe sentido para a minha vida.

Muitas pessoas me perguntam qual é o segredo para criar as séries do YouTube que eu faço. Tudo começou em Joinville, minha cidade natal, por obediência a uma palavra que Deus havia me dado. Eu pregava em pé, e apenas contava às pessoas a respeito do que Ele havia feito na minha vida, coisas que tínhamos passado juntos. Quando as séries começaram a estourar, alguns pensavam que era por conta do formato: o banquinho, as luzes apagadas, o tipo de microfone e até mesmo por causa dos temas que eu escolhia gravar. Mas não tem nada a ver com isso. Não existe uma receita. Nada disso é mérito meu. Qualquer um poderia fazer o mesmo. O segredo está na palavra. A palavra que Deus me deu para fazer o que eu faço.

Quando eu descobri o propósito para o qual fui criado por Ele, nunca mais quis ser qualquer outra pessoa. E isso não tem ligação apenas com o meu trabalho ou ministério, mas, principalmente, com quem eu sou. Se, algum dia, pensei em ser cantor, pintor, engenheiro, advogado ou ter qualquer outra ocupação, eu desisti ao ouvir o Seu plano para mim. Acho lindo quem sabe fazer alguma dessas coisas, mas não nasci para nenhuma delas.

Entretanto, quando penso na trajetória de Pedro, percebo um homem que talvez tenha demorado para entender isso logo de cara. A Bíblia nos conta que ele havia perdido a esperança com a morte do Salvador de tal forma que acabou deixando de lado o seu propósito de vida como pescador de homens para voltar a ser alguém que ele não havia sido chamado para ser: pescador de peixes. O interessante é que a Bíblia nos conta que, além de Pedro, alguns outros discípulos também tinham retornado à sua antiga ocupação. Porém, mesmo tendo tentado a noite inteira, não conseguiram nada. Ao amanhecer, Jesus apareceu na praia, mas não foi reconhecido por nenhum deles. Assim que perguntou se haviam tido sucesso na pesca, todos responderam uma negativa uníssona. Foi quando o Mestre lhes disse: "Joguem a rede para o lado direito do barco". Ao obedecerem e puxarem a rede de volta, ela estava tão abarrotada de peixes que quase estourou. Então, João, caindo em si, rapidamente, percebeu que aquele homem era Jesus.

A verdade é que pouco importava o lado que eles jogariam a rede. Se Cristo tivesse dito para lançarem para frente, para a esquerda ou em qualquer outra direção, não mudaria nada, porque o que transformou aquela situação foi a palavra que Ele liberou. Naquele instante, o que Jesus proferiu mudou completamente a realidade dos discípulos. Quando recebemos a liberação de uma palavra divina, ela é capaz de transformar o que quer que seja, afinal, é mais poderosa do que contextos sociais, circunstâncias ou o acaso.

O segredo é, e sempre será, a palavra de Jesus. E é apenas dela que nós precisamos. Podemos ter a técnica, o estilo, o dom, o carisma, e tudo mais que quisermos, mas se não recebermos a palavra, não teremos nada. Não adianta tentarmos copiar modelos ou corrermos a corrida dos outros se não tivermos uma ordem do Céu. Só perderemos tempo. É exatamente isso que o Mestre, sutilmente, disse aos discípulos. O importante não são os peixes, mas a palavra. O problema é que muitos têm passado a vida inteira agarrados ao que pescaram em vez de se apegarem ao que Deus lhes diz. Dessa forma, entram em um círculo vicioso de fracassos, simplesmente, porque a palavra não foi ouvida, respeitada e atendida.

Naquele momento, assim que escolheu voltar a ser quem era, Pedro estava, de maneira implícita, decidindo experimentar o fracasso novamente. E a história fica pior. Pense comigo: após tantos anos andando com Jesus, o apóstolo já não tinha mais nenhum equipamento de pesca, afinal havia largado tudo à beira da praia ao receber o convite do Mestre, o que nos faz inferir que ele teve de comprar um barco novo, redes novas e todo o tipo de material que fosse necessário para voltar a trabalhar no ramo. Isso quer dizer que Pedro precisou investir no velho homem. Agora, imagine ter de investir no que deu errado.

Mas, por incrível que pareça, eu conheço pessoas que fazem isso, e não se cansam de repetir a falha duas, três, quatro ou mais vezes. É como se vivessem em um *replay* de fracassos. O curioso é que as Escrituras nos afirmam que Pedro voltou a pescar, mas, novamente, não foi bem-sucedido. Ele tinha o barco, as redes, o mar, e até o "lado direito do barco" estava lá, mas faltava uma coisa: a palavra. Podemos ter tudo, mas se essa "uma coisa" faltar, não adianta. O apóstolo havia conseguido as ferramentas, tinha a técnica, mas não dava certo na pescaria, porque não tinha uma palavra.

Em contrapartida, a Bíblia prossegue relatando que, após a palavra do Salvador, no mesmo lugar onde o fracasso era a realidade, depois de uma noite inteira de tentativas malsucedidas, o milagre aconteceu. É possível viver algo novo no meio do caos. Mesmo que aquilo tenha dado errado antes, ao receber a palavra, passa a dar certo. Isaías deixou isso claro quando disse:

> Esqueçam o que se foi; não vivam no passado. Vejam, estou fazendo uma coisa nova! Ela já está surgindo! Vocês não o

percebem? Até no deserto vou abrir um caminho e riachos no ermo. (Isaías 43.18-19)

Ainda que estejamos no deserto, um lugar naturalmente seco e quase sem vida, podem surgir esperança e soluções [caminhos e riachos] onde não haveria a menor possibilidade aos olhos humanos. A novidade de vida é capaz de brotar mesmo nos locais menos propícios ou óbvios. E isso me faz ter certeza de que há sempre um jeito de vivermos o novo, independentemente da situação ou da realidade em que nos encontramos.

Tanto é verdade que a história de Pedro continua nos trazendo essa confirmação até o final. Algo que também me chama a atenção nessa passagem do evangelho de João é o fato de que, assim que Pedro se deu conta de que aquele homem era Jesus, vestiu sua capa, pulou no mar e nadou em direção a Ele, sendo seguido pelos outros discípulos, que se aproximaram de barco.

Chegando à praia, o Mestre os esperava com uma fogueira, pães e peixes na brasa. O curioso é que Ele nunca precisou da pesca que os discípulos trouxeram, assim como não necessita dos "peixes" que fomos ou iremos pescar. Somos nós que dependemos da Sua palavra. E, obviamente, é n'Ele que a encontramos. Não temos necessidade de nada além de Cristo. Ele é o que realmente importa.

A história segue e Jesus, mesmo sem precisar, pede alguns peixes que os discípulos trouxeram para assar.

Naquele instante, imagino Pedro tirando cada peixe da rede e aproveitando para contá-los. Encaro isso como um confronto do Céu. "Um, dois, trinta, quarenta e cinco, cem, cento e um...". Até totalizarem cento e cinquenta e três. Cento e cinquenta e três motivos para nunca mais voltar a ser quem ele era antes. Cento e cinquenta e três razões para nunca mais abandonar a palavra. Para se lembrar que o que vale na vida é o que Jesus diz, não a técnica, a forma ou a receita, até porque ela não existe. Quando eu penso nesse trecho, consigo imaginar claramente a raiva ou a vergonha de Pedro ao fazer essa contagem. Entretanto, desde o início, a palavra sobre o apóstolo permaneceu igual: pescador de homens.

Todos temos palavras de Deus. Ainda que não saibamos ou tenhamos parado para escutar, Ele está constantemente soprando Suas verdades e planos sobre nós. Tudo o que temos de fazer é ouvir. O problema é quando queremos que Deus fale, mas mantemos nossas Bíblias fechadas. Ou quando clamamos e choramos por respostas, e não estamos dispostos a obedecer. Ele nunca parou de falar. Jamais escondeu Suas palavras de nós para nos provocar. Pelo contrário, o tempo inteiro Ele Se faz perceptível e deseja ser ouvido por nós.

Na verdade, ouvir a Deus é menos complexo do que supomos. Muitos passam anos questionando a si mesmos sobre como é possível escutar o que o Senhor está dizendo. Sinceramente, não existe uma fórmula ou regra para isso. Mas, ao mesmo tempo, há um critério imutável: Deus jamais se contradiz. Isso quer dizer que nada do que Ele disser ou fizer irá contra as Escrituras. E se esse é o padrão e a forma mais clara que o Senhor escolheu para se comunicar conosco, por que continuamos ignorando o que ela diz? Se esse manual contém tudo o que precisamos saber e entender acerca de Jesus, Seu Reino e até mesmo onde nós nos encaixamos em Seu plano, por que insistimos em não dar tanto valor para ele ou em querer defender apenas as partes que são mais convenientes para nós? A Bíblia, além de ser a verdade absoluta, é viva e eficaz, assim como Hebreus diz:

> Pois a palavra de Deus é viva e eficaz, e mais afiada que qualquer espada de dois gumes; ela penetra ao ponto de dividir alma e espírito, juntas e medulas, e julga os pensamentos e intenções do coração. (Hebreus 4.12)

Outro dia, resolvi pesquisar o que a palavra "vivo(a)" significava no dicionário.[1] E por mais óbvia que essa definição pudesse ser, logo após passar o olho pelos primeiros conceitos, deparei-me com dois que me surpreenderam:

---

[1] MICHAELIS, Henriette & VASCONCELOS, Carolina Michaelis. **Dicionário Michaelis**. "vivo". Disponível em *https://michaelis.uol.com.br/moderno-portugues/busca/portugues-brasileiro/vivo/*. Acesso em outubro de 2019.

- Que se mantém em uso ou atual;
- Que se caracteriza por ser inabalável ou forte; ardente.

É exatamente isso que Hebreus revela no versículo 12 do capítulo 4. Ainda hoje, a Bíblia continua viva, atual e inabalável. Não só isso, mas permanece falando, ensinando, confrontando e revelando coisas novas a respeito do seu conteúdo. Porém, existem variadas formas de ouvirmos a Deus. A voz audível, a nossa consciência, sonhos, visões, outras pessoas e a natureza são alguns exemplos disso.

Todavia, é importante mencionar também que, nesse processo de ouvir o Senhor, precisamos tomar cuidado para não colocá-lO em uma caixa. Às vezes, por termos experimentado Deus de uma forma, achamos que Ele só pode e irá se manifestar do jeito que conhecemos ou esperamos. É por causa de pensamentos assim que muitas pessoas colocam expectativas além da medida em retiros, conferências e grandes eventos cristãos, porque se convencem de que esses são os ambientes em que Ele fala. Sim, Deus fala nessas ocasiões, mas Ele é muito maior, infinito e criativo do que isso. Não podemos contê-lO. É impossível prever o que Ele fará e muito menos ditar Suas ações. Deus não é um animal para ser domesticado, portanto não aja como se Ele fosse.

Por outro lado, apesar de escutarmos o Senhor e recebermos Suas palavras, é evidente que nunca saberemos o plano divino em sua totalidade. O que normalmente acontece é que Ele revela Seu propósito para cada temporada de nossas vidas. E se nos atentarmos a ouvi-lO e obedecê-lO, sempre receberemos a provisão necessária para a fase atual.

    Dentro disso, é crucial reforçar também que a palavra de Deus não é aquela que concorda com a nossa vontade. Por vezes, é claro que essas duas coisas podem convergir, mas nem sempre elas estão alinhadas, e é nosso papel nos colocarmos em uma posição de confiança e submissão ao que Ele mostrou. É triste, mas muitos abandonam a fé por não receberem o que esperavam ou terem a resposta no momento em que gostariam. Deus não nasceu para realizar nossos desejos pessoais. Não há dúvidas de que Ele está preocupado com nossa felicidade, bem-estar e futuro, entretanto, mais do que isso, precisamos começar a desenvolver a mentalidade do Reino dos Céus e entender que nem sempre o que desejamos é o melhor para nós.

    Ao contrário do que muitos pensam, a mensagem central de Jesus quando esteve aqui na Terra não foi o amor. Ele não estava ansioso por pregar a respeito de felicidade, paz, ou até mesmo contra a intolerância. Isso não significa que o Mestre não tenha abordado e dado atenção para esses pontos, mas é essencial ressaltar que o principal ensinamento de Cristo foi acerca do Seu Reino. Ao viver aqui, Jesus estava instruindo e mostrando, na prática, como deveríamos estabelecer o Reino de Deus neste mundo. Agora, a questão é quando invertemos o nível de prioridade e passamos a pensar que os Céus têm a obrigação de nos servir, dar e abençoar. Entenda: quando estamos inseridos no Reino, é impossível não experimentarmos felicidade, paz, justiça e tudo o que vem nesse pacote, mas precisa ficar claro que somos nós que devemos nos render e submeter a Deus, e não o contrário.

Em contrapartida, vale sublinhar também que muitas pessoas caem no erro de pensar que apenas ouvir e receber a palavra em si é suficiente para que ela se cumpra, mas não. Nós temos responsabilidade nesse processo. Se não nos posicionamos para viver as palavras de Deus, pode ser que elas nunca se tornem realidade. Isso, porque Ele escolhe trabalhar de acordo com o nosso livre arbítrio, tempo e disposição.

Ali, à beira do mar, sentado perto da fogueira, de seus amigos e do Mestre, Pedro teve de tomar uma decisão. Ou voltaria atrás e fingiria que nada do que tinha vivido havia acontecido ou assumiria a responsabilidade de se tornar quem ele tinha sido chamado para ser, seguiria em frente e viraria o mundo de cabeça para baixo. Ele optou pela segunda escolha. Ainda bem!

Mas algo que eu amo nessa passagem é que o final é ainda mais surpreendente. "Pedro, tu me amas?", Jesus o questiona, não uma, nem duas, mas três vezes. Junto das perguntas, surge um mesmo comissionamento ao fim: "Então, cuide das minhas ovelhas". Sempre que leio esse trecho, acho intrigante a quantidade de repetições da mesma indagação. Pode ser que o objetivo fosse que o próprio Pedro se desse conta de que seu amor pelo Mestre não era tão grande e maduro quanto ele imaginava, já que, capítulos antes, havia prometido que nunca trairia Jesus, até, logo em seguida, negá-lO três vezes. Porém, talvez, a intenção de Cristo tenha sido trazer o discípulo para a realidade e, de quebra, relembrá-lo da palavra que estava sobre ele. É como se o Salvador lhe dissesse: "Viva a minha palavra. Cumpra o que Eu já lhe falei".

O apóstolo Pedro, como ficou conhecido no livro de Atos, era um homem completamente diferente do mero pescador que vemos no início de sua história. Esse é um entre os muitos exemplos que comprovam que o segredo da vida está sempre em como terminaremos, e não em como começamos. Entretanto, para finalizarmos bem, é necessário ou começarmos bem ou, em algum momento, recomeçarmos, pois se o padrão inicial já não for satisfatório, teremos de fazer alguma coisa para melhorar, caso queiramos ter um bom resultado. Tanto uma opção quanto a outra sempre surgirão em algum ponto de nossas vidas, mas, para que ambas sejam saudáveis e sustentáveis, é preciso ouvirmos e obedecermos a palavra que recebemos de Deus. Por isso, assuma a responsabilidade de viver de acordo com o que Ele depositou em você. Não tente percorrer um caminho que não foi feito para ser seu.

Foi isso que, após as perguntas e o comissionamento de Jesus, Pedro entendeu. E seguindo a trajetória do discípulo, Atos 2 nos revela:

> E, cumprindo-se o dia de Pentecostes, estavam todos concordemente no mesmo lugar; E de repente veio do céu um som, como de um vento veemente e impetuoso, e encheu toda a casa em que estavam assentados. E foram vistas por eles línguas repartidas, como que de fogo, as quais pousaram sobre cada um deles. E todos foram cheios do Espírito Santo, e começaram a falar noutras línguas, conforme o Espírito Santo lhes concedia que falassem. E em Jerusalém estavam habitando judeus, homens religiosos, de todas as nações que estão debaixo do céu. E, quando aquele som ocorreu, ajuntou-se uma multidão, e estava confusa, porque cada um os ouvia falar na sua própria língua. (Atos 2.1-7 – ACF)

Não apenas isso, mas ao final do capítulo, a Bíblia nos confirma que:

> De sorte que foram batizados os que de bom grado receberam a sua palavra; e naquele dia agregaram-se **quase três mil almas**, e perseveravam na doutrina dos apóstolos, e na comunhão, e no partir do pão, e nas orações. (Atos 2.41-42 – ACF – grifo do autor)

Pedro, após o encontro na praia, ousadamente passou a viver a palavra que havia recebido do Mestre. E o que as Escrituras nos garantem é que, ao final de sua primeira pregação, ele teve três mil motivos para nunca mais voltar atrás.

capítulo 6

Críticas

"Se não vivemos pelos elogios dos homens, não morreremos por suas críticas". Certa vez escutei essa frase do Bill Johnson[1] e nunca mais esqueci. Não apenas como seres humanos, mas, principalmente, como brasileiros, percebo que temos uma dificuldade muito grande com críticas. Talvez por conta da nossa necessidade de sempre querer agradar todo mundo ou por não termos uma cultura de *feedbacks* tão enraizada em nós. Entretanto, é evidente que existem tipos e tipos de avaliações. Ninguém gosta de receber críticas destrutivas, por exemplo. Aliás, nem temos que gostar mesmo, porque elas não são saudáveis. As construtivas, por sua vez, por mais duras que pareçam, nos ajudam a evoluir e crescer.

Na realidade, tudo depende da intenção de quem fala e do coração de quem recebe, afinal, as críticas

---

[1] Líder sênior da Bethel Church em Redding, Califórnia.

sempre existirão, não temos como fugir. Por esse motivo, é tão crucial nos responsabilizarmos por nossas palavras e termos sobriedade e sabedoria para falar. Da mesma forma como é essencial mantermos um coração livre de ofensas [assim como Jesus] ao recebermos as críticas e palavras dos outros, ainda que a intenção de seus corações seja ruim. Não podemos determinar o que as pessoas dirão ou como agirão, mas podemos controlar como nós reagiremos, inclusive, a maneira como isso acontece diz muito a nosso respeito.

 É como respondemos, principalmente, em nosso interior que importa. Isso, porque alguns são tão treinados para se comportarem bem em público, que fazem corretamente o seu papel na frente dos outros. Mas, em seus corações, odeiam, guardam rancor, xingam, alimentam amargura e falta de perdão. Por isso, no final das contas, o que não dizemos é tão ou mais importante do que o que dizemos. Algo interessante a respeito desse hábito de esconder o que realmente sentimos é que, normalmente, ainda que não percebamos, ele é fruto de uma supervalorização do que os outros pensam de nós. Assim, acabamos disfarçando coisas que precisam ser trabalhadas em nós por medo de mais críticas, o que faz com que fiquemos reféns da opinião alheia.

 É justamente esse comportamento que reforça, desde cedo, a ideia que nos ensina e nos faz inferir que a voz da multidão é a correta a se seguir. Quase como se acreditássemos que a voz do povo fosse, de fato, a voz de Deus. Em outras palavras, se a maioria apoia, deve ser o certo; se boa parte está indo pela direção x, então, com certeza, é a correta; se muitos não gostam, é porque talvez seja desprezível mesmo. Assim, acabamos entrando em um círculo vicioso, cansativo e diabólico de pensar que a resposta e a saída estão em dar ouvidos ao que a maioria das pessoas tem como opinião. É sobretudo a partir disso que muitos têm criado, defendido e seguido ideologias e comportamentos contrários ao Céu. Mas não se engane: a voz de Deus nunca [ou quase nunca] é a voz do povo. A Sua voz é certeira, singular, inconfundível. E o mais interessante é que, geralmente, Ele nos diz o que não queremos ouvir, diferentemente do senso comum, que pensa apenas no que é conveniente e beneficia os envolvidos.

Sempre que penso nisso me lembro das multidões que acompanhavam Jesus. A Bíblia constantemente faz questão de mencionar a respeito das muitas pessoas que O seguiam por onde quer que Ele fosse. Em contrapartida, o curioso é que a mesma massa de seguidores que O aclamou na entrada triunfal em Jerusalém foi a que O condenou e enviou para a cruz. As Escrituras nos contam que:

> De manhã bem cedo, os chefes dos sacerdotes com os líderes religiosos, os mestres da lei e todo o Sinédrio chegaram a uma decisão. Amarrando Jesus, levaram-no e o entregaram

a Pilatos. "Você é o rei dos judeus?", perguntou Pilatos. "Tu o dizes", respondeu Jesus. Os chefes dos sacerdotes o acusavam de muitas coisas. Então Pilatos lhe perguntou novamente: "Você não vai responder? Veja de quantas coisas o estão acusando". Mas Jesus não respondeu nada, e Pilatos ficou impressionado. Por ocasião da festa, era costume soltar um prisioneiro que o povo pedisse. Um homem chamado Barrabás estava na prisão com os rebeldes que haviam cometido assassinato durante uma rebelião. A multidão chegou e pediu a Pilatos que lhe fizesse o que costumava fazer. "Vocês querem que eu lhes solte o rei dos judeus?", perguntou Pilatos, sabendo que fora por inveja que os chefes dos sacerdotes lhe haviam entregado Jesus. **Mas os chefes dos sacerdotes incitaram a multidão a pedir que Pilatos, ao contrário, soltasse Barrabás. "Então, que farei com aquele a quem vocês chamam rei dos judeus?", perguntou-lhes Pilatos. "Crucifica-o", gritaram eles. "Por quê? Que crime ele cometeu?", perguntou Pilatos. Mas eles gritavam ainda mais: "Crucifica-o!"**. (Marcos 15.1-14 – grifo do autor)

A voz da multidão sempre oscilará. Ela não é confiável e normalmente estará preocupada com seus próprios interesses. Tanto é verdade que, por onde andava, Jesus era seguido por pessoas que buscavam os milagres poderosos e extraordinários que Ele fazia. Porém, do mesmo jeito que O aplaudiram, imploraram por Sua atenção e gritaram: "Hosana! Hosana nas alturas"; "Filho de Davi, tem misericórdia de mim"; condenaram-nO no lugar de um criminoso. Fico imaginando a cena de Jesus olhando para o meio da multidão que O havia considerado culpado, reconhecendo os paralíticos que andavam, os cegos que viam, os leprosos curados, os opressos que haviam sido libertos por Ele. E, ali, juntos, em um só coro, gritavam: "Crucifica-O! Solte Barrabás".

A multidão que nos cerca nunca será confiável e apta para nos guiar. É justamente por isso que ela não pode dominar a nossa vida e determinar o nosso destino. Porém, muitos têm abandonado os propósitos de Deus para as suas vidas com medo do que a massa pensará. Dessa forma, em vez de preferirem escutar Aquele que tem o nosso passado, presente e futuro em Suas mãos, sujeitam-se a mendigar a opinião de pessoas que, muitas vezes, nem sequer se importam com eles de verdade. A crítica destrutiva e a opinião alheia só contribuem para nos adoecer.

Noé foi um grande exemplo disso. A Bíblia nos relata que:

> Deus disse a Noé: "Darei fim a todos os seres humanos, porque a terra encheu-se de violência por causa deles. Eu os destruirei juntamente com a terra [...] Eis que vou trazer águas sobre a terra, o Dilúvio, para destruir debaixo do céu toda criatura que tem fôlego de vida. Tudo o que há na terra perecerá. Mas com você estabelecerei a minha aliança, e você entrará na arca com seus filhos, sua mulher e as mulheres de

seus filhos" [...] Noé fez tudo exatamente como Deus lhe tinha ordenado. (Gênesis 6.13-22)

Essa, na minha opinião, é uma das histórias mais malucas da Bíblia. Noé, um homem comum que havia achado graça aos olhos do Senhor, não era arquiteto, engenheiro, zoólogo, marceneiro ou sequer tinha quaisquer outros atributos necessários para construir um barco daquela dimensão e dar continuidade àquele plano enorme. Isso significa que a missão que Deus havia lhe dado não era uma extensão de algo que ele já praticava em menor escala, mas uma coisa inédita que, a partir dali, ele teria de exercer. Somado a isso, naquela época, nunca havia chovido na Terra, o que reforçava ainda mais o tamanho da loucura diante das pessoas. Por conta dessas coisas, aquele homem enfrentou, durante anos e anos, a zombaria e as críticas de todos ao seu redor.

Fazendo alguns cálculos com os números descritos nas passagens que contam essa história, chegamos à conclusão de que o processo de construção da arca pode ter demorado até 100 anos, já que Noé tinha 600 anos quando entrou na arca, e aproximadamente 500 quando recebeu a palavra do Senhor para construir a embarcação e teve seus três filhos. Se a edificação de uma casa comum geralmente já desgasta e preocupa muito os donos, imagine 100 anos dessa mesma aflição.

Durante todo esse tempo, aquele homem teve de desenhar a planta da arca, reunir o material e colocar todo aquele plano imenso em ação, conforme as instruções que havia recebido de Deus:

> Você, porém, fará uma arca de madeira de cipreste; divida-a em compartimentos e revista-a de piche por dentro e por fora. Faça-a com cento e trinta e cinco metros de comprimento, vinte e dois metros e meio de largura e treze metros e meio de altura. Faça-lhe um teto com um vão de quarenta e cinco centímetros entre o teto e corpo da arca. Coloque uma porta lateral na arca e faça um andar superior, um médio e um inferior [...] Tudo o que há na terra perecerá. Mas com você estabelecerei a minha aliança, e você entrará na arca com seus filhos, sua mulher e as mulheres de seus filhos. Faça entrar na arca um casal de cada um dos seres vivos, macho e fêmea, para conservá-los vivos com você. De cada espécie de ave, de cada espécie de animal grande e de cada espécie de animal pequeno que se move rente ao chão virá um casal a você para que para conservá-los vivos com você. De cada espécie de ave, de cada espécie de animal grande e de cada espécie de animal pequeno que se move rente ao chão virá um casal a você para que sejam conservados vivos. E armazene todo tipo de alimento, para que você e eles tenham mantimento. (Gênesis 6.14-21)

Eu me lembro de quando a minha casa estava em construção. Contratei alguns pedreiros que começaram a fazer o fundamento, o alicerce, depois a estrutura das paredes, até levantar toda a casa e trabalhar nos acabamentos. Apesar de não entender muito a respeito de obras, aprendi que as dificuldades, tanto para quem faz quanto para o dono em si, são enormes. Os cuidados são constantes e o processo é lento. Entretanto, ao pensar na experiência de Noé, percebo que, por maior que fosse o seu desafio na construção da arca, talvez sua maior adversidade fossem as críticas das pessoas ao redor. Assumir a responsabilidade, transformar-se em arquiteto, engenheiro e construtor da noite para o dia não era o problema, mas enfrentar a multidão que não acreditava nele nem na palavra divina, e ainda por cima jogava contra, era complexo. Contudo, mesmo com todos os obstáculos, ele estava mais preocupado com a missão que tinha recebido de Deus do que com a opinião e crítica das pessoas.

Quando penso na possibilidade de Noé ter passado 100, ou quase 100 anos construindo essa arca e simultaneamente ter sido obrigado a ouvir tantas palavras contrárias, mentirosas e pesadas, chego à conclusão de que lidar com críticas é um exercício de perseverança, paciência e humildade constante. Logicamente, ninguém deveria precisar ter de lidar com críticas destrutivas, mas, se em algum momento, formos expostos a esse tipo de opinião, é a nossa atitude em nos agarrar à palavra e à voz de Deus que mostrará o quanto de maturidade temos, tanto emocional quanto espiritual. Com isso, não quero dizer que pessoas que foram massacradas por palavras negativas ao longo de suas vidas e carregam traumas e bloqueios são as que demonstram imaturidade, mas sim as que se permitem moldar e sentenciar pelas críticas dos outros; aquelas que desistem dos planos de Deus por conta de zombarias, vergonha, pressão, falta de esperança ou qualquer outro motivo.

Noé, a despeito de toda contrariedade, descrédito e humilhação, é a prova viva de que é possível ser fiel e perseverante até o fim. Inclusive, não está sozinho nisso, já que o livro de Hebreus elenca uma série de heróis da fé, da qual Noé faz parte:

> Pela fé Noé, divinamente avisado das coisas que ainda não se viam, temeu e, para salvação da sua família, preparou a arca, pela qual condenou o mundo, e foi feito herdeiro da justiça que é segundo a fé. (Hebreus 11.7 – ACF)

Todas as vezes que leio a história de Noé, acredito profundamente que aquele homem tenha conseguido chegar até o fim por alguns motivos cruciais. O primeiro, obviamente, por seu amor e temor a Deus. O segundo, por fé. Porém, apesar de não estar claro no texto, penso que talvez uma das maiores razões de ele ter conseguido terminar bem foi pelo simples fato de ter entendido qual era a sua real missão. Noé não havia sido chamado por Deus para fazer chover. Seu propósito era, simplesmente, crer na palavra do Senhor e construir um barco. Deus é quem se encarregaria da chuva e de todo o resto. Isso quer dizer que a fé daquele homem nas palavras do Céu o blindou contra as mentiras e oposições externas. E talvez seja exatamente isso que nos falta para cumprir a carreira que nos foi proposta.

Muitos têm desistido no caminho por se assustarem com o tamanho das promessas, críticas, ou por não entenderem a sua missão de verdade, e nisso, esquecem-se de que jamais conseguirão terminar a corrida sem Aquele que os chamou. Aliás, sem Ele não faz sentido correr. O problema é que muitas pessoas tentam cumprir a missão divina sem Deus, e quando a situação fica complicada, acabam se cansando e, por fim, desistindo. Fazer com a própria força nunca dá certo no Reino de Deus. Jamais teremos talentos bons o suficiente, habilidades desenvolvidas o bastante ou tanta provisão financeira assim que nos fará não precisar do Senhor. Nossos recursos, estratégias e dons nunca conseguirão substituir a presença de Deus na missão. Sim, é importante nos capacitarmos para realizar com excelência aquilo que Ele entregou ou entregará em nossas mãos, mas temos de entender que nada disso será suficiente para a jornada que enfrentaremos.

O interessante nisso tudo é que Deus não é surpreendido por não sermos completamente capazes de cumprir o que Ele nos confiou. Entretanto, acho que alguns de nós se esquecem disso, e é aqui que o tumulto tem espaço para acontecer. Nunca estaremos cem por cento prontos para o que viveremos com Deus, e que bom, pois onde a nossa capacidade, dinheiro e talentos não podem chegar, a graça divina é capaz de alcançar.

    Deus nunca esperou que Noé fizesse chover. Na realidade, a sua missão sempre esteve clara para ambos e isso, ao final, fez toda a diferença. Portanto, não se preocupe em fazer chover quando o Senhor só lhe pediu para construir a arca. Sim, sem a chuva a arca não teria propósito de ser, mas essa não é uma preocupação que cabe a você. Empenhe-se apenas em fazer o que foi mandado. O resto do processo pertence a outra Pessoa. Como a chuva vai chegar, quando, onde, e até mesmo o porquê não competem a nós. Isso me faz lembrar de algumas situações em que me deparei com pessoas que encaravam a conversão dos outros, por exemplo, como uma obrigação e incumbência que carregavam como cristãs, o que as colocava debaixo de um jugo pesado e mentiroso. Deus nunca nos pediu isso. O nosso papel é testemunhar da transformação que Cristo fez em nós, de quem Ele é, do Seu amor e verdade, do Seu Reino, mas quem convence é o Espírito Santo, não nós.

    Desde que comecei as gravações das séries para o meu canal no YouTube, recebo continuamente infinitos testemunhos de pessoas que me procuram contando a maneira miraculosa como receberam os meus vídeos. Eu não enviei a gravação para essas pessoas, eu nem mesmo as conheço, mas decidi obedecer ao comando que Ele havia me dado. Tudo o que eu fiz foi gravar, o resto foi com Ele. Quem levou o vídeo a cada uma das pessoas, no momento certo, na hora oportuna, não fui eu, foi Deus, Aquele que me confiou a missão.

No início, quando decidi compartilhar esse projeto que Deus tinha colocado em meu coração, muitas pessoas se opuseram. "Deive, você vai começar a gravar vídeos? Você está maluco? Já tem muita gente fazendo isso! Para quê? Pare de ficar se iludindo, ninguém vai assistir!". Mas, graças a Deus, entendi logo que esse não era um problema meu. Se isso chegaria ou não às pessoas, já não fazia parte da minha missão. O Senhor não me disse se eu iria ser assistido, Ele me mandou fazer. Só. Agora, a decisão de gravar e me submeter ao que Ele havia me ordenado era minha. Eu poderia ter me conformado com a realidade de que não tinha experiência, capacidade suficiente, de que não fazia sentido gravar mesmo, de que o equipamento era caro e até mesmo de que não tinha um público consolidado. Eu nunca neguei nada disso. Jamais fingi que essas coisas não passavam pela minha mente, mas escolhi crer mais na voz de Deus do que na crítica das pessoas ao meu redor. Porque, diferentemente de mim, Ele sempre soube o que era melhor. Isso me faz pensar que talvez o nosso maior erro seja não prestar atenção em **Quem** está falando.

Eu me lembro da época em que estava prestes a me casar com a minha esposa, Paulinha. Nós dois estávamos finalizando a faculdade de Direito, mas eu já havia recebido a confirmação de Deus de que não seguiria carreira na profissão, e sim que serviria no ministério em tempo integral. A verdade é que eu não tinha dinheiro, carro nem uma casa, e a Paulinha sabia dessa realidade. O pior de tudo é que me recordo como se fosse hoje das palavras das pessoas ao nosso redor: "Vocês vão morrer de fome! Você vai tirar essa menina de casa e vai dar o que para ela? Ela tem tudo para ser uma advogada ou juíza renomada! Que escolha péssima!". Críticas, críticas, críticas. Entretanto, além da bênção dos nossos pais, nós tínhamos uma confirmação de Deus, e foi apenas a Ele que demos permissão e poder para definir o nosso futuro.

Hoje, a decisão está em suas mãos. Que voz você decidirá escutar? Que voz dominará o seu coração? Qual delas ditará o seu futuro? Por outro lado, vale lembrar que a Bíblia nos alerta:

> Jesus respondeu: "Eu já lhes disse, mas vocês não creem. As obras que eu realizo em nome de meu Pai falam por mim, mas vocês não creem, porque não são minhas ovelhas. As minhas ovelhas ouvem a minha voz; eu as conheço, e elas me seguem. Eu lhes dou a vida eterna, e elas jamais perecerão; ninguém as poderá arrancar da minha mão. Meu Pai, que as deu para mim, é maior do que todos; ninguém as pode arrancar da mão de meu Pai. Eu e o Pai somos um".
> (João 10.25-30)

Apenas as ovelhas reconhecem a voz do Pastor. A grande questão é que é impossível reconhecer uma voz que nunca escutamos antes ou a de alguém com quem não temos intimidade. Se não cultivamos tempo na presença de Deus, jamais saberemos quando e o que Ele está falando conosco diariamente. Não só isso, mas a partir do momento em que nos posicionamos para ouvir apenas a verdade — que vem da Fonte —, mentira nenhuma terá espaço para germinar em nosso coração. Acredite: a única aceitação que precisamos é a do Senhor. Não necessitamos dos aplausos dos outros, nem de elogios e bajulações de seres humanos. Tudo o que precisamos é da aprovação do nosso Pai. Todavia, para que possamos receber desse amor e das verdades celestiais, temos de aprender a ouvir diariamente, de fato, a voz de Deus. Apenas assim seremos preenchidos e completos. No instante em que isso acontece, o externo passa a perder força e impacto sobre nós.

Ao mesmo tempo, quando penso nisso, recordo-me de uma passagem que sempre mexe muito comigo:

> Acima de tudo, guarde o seu coração, pois dele depende toda a sua vida. (Provérbios 4.23)

Tanto para as críticas quanto para os elogios, é imprescindível aprendermos a guardar o nosso coração. Do contrário, podemos, facilmente, nos desviar do caminho. No primeiro caso, se acreditamos nessas palavras, podemos cair no erro de nos enxergar com inferioridade, desistir da corrida por acharmos que não daremos conta do recado ou por causa da opinião contrária dos outros. No segundo, corremos o risco de ceder aos encantos dos aplausos e pensar que somos melhores do que todo mundo. Entretanto, na realidade, tanto um quanto outro tem suas raízes no orgulho. A humildade, por sua vez, inversamente ao que pregam, não é uma característica apenas de pessoas boazinhas, modestas, simpáticas e que rejeitam elogios após se saírem bem em alguma coisa. A humildade é sabermos exatamente quem somos, nem mais nem menos.

Jesus é o nosso maior exemplo de humildade. Ele sabia exatamente quem era, e isso foi vital para mantê-lO focado em Sua missão na Terra. E por melhor, mais maravilhoso e incrível que o Mestre seja, nem mesmo Ele, em toda a Sua glória, agradou a todo mundo. Portanto, livre-se do medo das críticas, da necessidade de ser aceito pelas pessoas, da opinião dos outros. Escolha ouvir a voz de Deus, o que ela está dizendo a seu respeito, e sobre o que Ele o chamou para fazer.

A verdade é que as críticas sempre existirão, mas a opção de permitirmos que elas determinem o nosso futuro é apenas nossa. É justamente quando entendemos o peso disso que somos capazes de enxergar que o recomeço saudável só pode partir de um lugar onde a única voz que importa é a do nosso Pastor.

capítulo 7

Não seja refém

Todos nós temos uma história. Um passado que carregamos como parte de nossas vidas. Não importa quem somos, todos colecionamos memórias daquilo que já passou. A soma dessas experiências, tanto alegres quanto tristes, revela o caminho que nos trouxe até aqui, ao hoje. Isso significa que, se pararmos para analisar e refletir sobre tudo o que vivemos, conseguiremos encontrar muitas explicações para a nossa realidade presente.

Eu sei que muitos tiveram um passado difícil. Eu mesmo fui uma dessas pessoas. Nem todo mundo teve o privilégio de nascer em uma casa onde tudo o que se ouvia eram palavras de bênção, ou até mesmo de presenciar um casamento saudável e sincero entre seus pais. Mas a verdade é que, mesmo nas melhores famílias, todos já passaram por experiências traumáticas em algum momento. Obviamente, uns vivenciam mais e outros menos, mas todos nós já experimentamos ou testemunhamos o fracasso e a dor, seja a nossa ou a de outra pessoa. A aflição faz parte da vida, e é como diz o ditado: "só não sente dor quem já está morto".

Tudo isso não é novidade. A Palavra de Deus já nos alerta de que as lutas fazem parte das nossas vidas:

> Tenho-vos dito isto, para que em mim tenhais paz; no mundo tereis aflições, mas tende bom ânimo, eu venci o mundo. (João 16.33 – ACF)

É por conta disso que devemos sempre ser cuidadosos com o tipo de influência que nossas experiências passadas exercem em nossas vidas, pois, embora sejam parte da nossa história, isso não necessariamente significa que elas definem como tudo terminará. O nosso passado não determina o nosso futuro, a menos que decidamos lhe dar autoridade para isso. Tudo depende de como escolhemos lidar com o que passou. Se permitimos que nossas dores passadas influenciem nossas escolhas para o futuro, estamos, inconscientemente, tirando as mãos do volante e deixando que nossos traumas direcionem o presente e o fim da nossa jornada. Dessa forma, acabamos nos tornando reféns daquilo que já aconteceu conosco.

O problema é que, quando escolhemos trilhar esse caminho, assumimos a posição de vítimas, em que tudo o que passa a acontecer, na realidade, é consequência do passado. Assim, sem perceber, culpamos a vida, as pessoas e a falta de oportunidades, e ficamos tão presos às nossas justificativas baseadas no que já aconteceu conosco, que não conseguimos enxergar a possibilidade de lutar por um futuro melhor. Não só isso, mas acabamos nos esquecendo de que, assim como somos responsáveis por estar onde estamos, somos também responsáveis por sair desse lugar.

Agarrar-se às más experiências passadas é como tentar nadar em alto-mar segurando uma grande rocha nas mãos. Nós podemos reclamar do mar ou até nos indignar com as pessoas que estão nadando perto de nós, mas a verdade é que os maiores culpados pelo fato de estarmos afundando sempre seremos nós mesmos. Muitas vezes, nós nos apegamos tanto à nossa dor que não conseguimos enxergar que é justamente ela que está nos jogando para baixo. Diante disso, a única maneira de não sermos submergidos é deixarmos os traumas e as aflições de lado e começarmos a usar nossas mãos, que antes seguravam a rocha, para nadar em direção ao futuro que desejamos.

Isso é o que conhecemos por autorresponsabilidade. Em outras palavras, é assumir a culpa pelas escolhas que nos trouxeram até aqui. Não apenas o bônus, mas também o ônus das nossas atitudes, entendendo que somos os maiores influenciadores da nossa própria história e temos autoridade para escolher qual caminho seguir.

Na maioria das vezes, temos muita facilidade em levar o crédito pelas coisas boas que já fizemos. Porém, ao nos posicionarmos com autorresponsabilidade, somos obrigados a reconhecer que, assim como os acertos são mérito nosso, os erros também. Somos os maiores responsáveis por estarmos onde estamos, seja para o bem ou mal. Da mesma forma, somos as únicas pessoas capazes de determinar os próximos passos que virão a seguir.

Um dos textos bíblicos que mais fala comigo sobre isso está em Josué 24:

> Agora, pois, temeis ao Senhor, e servi-o com sinceridade e com verdade; e deitai fora os deuses aos quais serviram vossos pais além do rio e no Egito, e servi ao Senhor. Porém, se vos parece mal aos vossos olhos servir ao Senhor, escolhei hoje a quem sirvais; se aos deuses a quem serviram vossos pais, que estavam além do rio, ou aos deuses dos amorreus, em cuja terra habitais; porém eu e a minha casa serviremos ao Senhor. (Josué 24.14-15 – ACF)

Nessa passagem, Josué estava falando com os filhos daqueles que haviam perecido no deserto e acabaram nunca entrando na Terra Prometida. A sua geração estava vivendo uma promessa que não fora entregue a eles, e sim a seus pais, que tinham sido libertos do Egito sob a liderança de Moisés. Mas que, por conta de sua infidelidade, passaram 40 anos no deserto, até que, finalmente, morreram sem ver a promessa se cumprir.

Logo, essa geração que havia crescido no deserto sabia muito bem a razão de seus antepassados terem fracassado. Isso significa que, nesse processo, eles haviam entendido o que não fazer, caso quisessem viver as promessas de Deus em suas vidas. Da mesma maneira que o filho de um casal divorciado aprende sobre o que não fazer para que seu casamento dê certo, assim também Josué e o povo tinham compreendido os perigos da infidelidade ao Senhor.

Entretanto, embora tivessem entrado na Terra Prometida, o coração de cada um deles ainda estava no deserto. Essas pessoas se tornaram reféns do passado, uma vez que permitiram que as experiências com seus pais determinassem seu comportamento e escolhas atuais. Eles estavam caindo no mesmo erro, quase como se estivessem fadados a isso, mas não perceberam que tudo não passava de uma mentira.

O fato de ter acontecido antes não quer dizer que precisa acontecer de novo. Não é porque o casamento dos nossos pais não deu certo que não podemos sonhar com uma vida conjugal saudável, por exemplo. Não somos reféns do nosso passado. Aquilo que nos disseram, nossas experiências anteriores e até mesmo o que aprendemos em casa não determina o nosso futuro. Apenas o nosso Pai tem o poder de nos definir, porém, para acessarmos isso, precisamos ser autorresponsáveis e tomarmos as rédeas dos nossos destinos. E é justamente isso o que Josué estava fazendo nesse trecho do capítulo 24.

Antes dos versos 14 e 15, Deus usou Josué para lembrar ao povo a respeito de todos os livramentos que Ele havia lhes dado, além da conquista da Terra Prometida. Todavia, assim que o Senhor parou de falar através da boca do guerreiro e este assumiu a fala, a ira tomou conta dele. Então, quase que de maneira sarcástica, ele lhes deu duas escolhas: seguir o Deus cujas obras eles haviam acabado de relembrar e já tinham testificado, ou trilhar o mesmo caminho de seus pais, que haviam morrido no deserto. Em outras palavras, o que Josué estava dizendo era: "Vocês só serão reféns do passado se quiserem". Não só isso, mas aquele discurso estava desafiando o povo a assumir a responsabilidade por suas próprias vidas, fazendo-os entender que tanto uma escolha quanto outra teriam consequências.

Nós só seremos reféns se escolhermos essa opção. Se alguém nos dissesse que seríamos um fracasso, isso só se tornaria realidade, de fato, se quiséssemos. Se o casamento dos nossos pais deu errado, só teremos o mesmo destino se optarmos por isso. Nós temos o controle das nossas escolhas e, por isso, temos liberdade para decidir pelo que desejarmos, mas não podemos nos esquecer de que as consequências de cada uma dessas escolhas virão de qualquer jeito.

Muitas vezes, de forma automática, associamos "consequências" com coisas ruins, mas a verdade é que essa palavra, por si só, é neutra. Ou seja, os seus resultados podem ser tanto positivos quanto negativos. O segredo está na escolha que fazemos. Isso significa que, se tomarmos as mesmas decisões que já havíamos tomado antes, colheremos os mesmos frutos. Por outro lado, se fizermos nossas escolhas baseadas no Senhor, colheremos as Suas bênçãos e viveremos o futuro que Ele tem reservado para nós.

Eu me lembro de quando eu e a minha esposa nos conhecemos. Assim que terminamos a nossa primeira conversa, eu sabia que iria me casar com ela. Na época, eu tinha 16 anos, e me recordo de chegar em casa naquele dia e falar: "Mãe, eu conheci a mulher com quem vou me casar!". Não sei explicar muito bem, mas eu tinha convicção de que ela era a mulher da minha vida.

Naquele tempo, eu trabalhava como estagiário em um banco, e logo após ter conhecido a Paulinha, eu me lembro de estar almoçando com os meus colegas de trabalho e contar a todos eles que havia conhecido a mulher que seria a minha esposa. Começamos a conversar sobre isso, até que um funcionário do banco se aproximou de mim e disse: "Larga de ser idiota, se casar é a pior coisa que alguém pode fazer". Aos poucos, enquanto ele falava mal do casamento, eu e as pessoas ao redor passamos a ficar pesados diante de tantas palavras pejorativas.

Foi quando juntei toda a coragem que tinha, que, na época, não era muita, e lhe perguntei: "O senhor é casado?". "Não, divorciado", ele retrucou. Então, rapidamente lhe respondi: "Nesse caso, quando eu quiser saber alguma coisa sobre isso, vou perguntar para alguém que tenha tido um casamento de sucesso".

Às vezes, tudo o que precisamos é decidir parar de aceitar lixo, não apenas os resultados de nossas dores passadas, mas também aquilo que recebemos de outras pessoas. Só porque aconteceu com os outros não quer dizer que acontecerá conosco. A escolha continua em nossas mãos.

É exatamente por esse motivo que, se realmente queremos crescer e ver os sonhos de Deus se realizarem em nossas vidas, chega um momento em que precisamos abandonar o vitimismo e assumir a responsabilidade por nossas ações. Tantas vezes, nós nos agarramos às dores do passado e à posição de reféns por serem lugares confortáveis. Vítimas não têm o controle nem a responsabilidade pelo que acontece em suas vidas. Isso quer dizer que, quando nos colocamos nessa situação, jogamos o encargo para os outros, nos posicionando como parte do problema, e não da solução. E isso é o completo oposto de ser autorresponsável.

Em contrapartida, é evidente que existem circunstâncias que realmente nos colocam nessa posição, querendo ou não. A vida tem suas surpresas, e nem todas são agradáveis. Elas podem nos levar a situações em que, de fato, necessitaremos de assistência. Porém, por mais que tenhamos sido levados ao lugar de vítima, permanecer ali é uma escolha apenas nossa. Não importa se a vida nos derrubou. Podemos decidir ficar no chão, reclamando da nossa queda, ou podemos nos levantar e seguir em frente, rumo aos sonhos de Deus para nós.

Portanto, escolha ter uma vida plena e de sucesso, e abrace todo o trabalho duro que vem com essa decisão. Assuma a responsabilidade, dedique-se, esforce-se para fazer com que isso aconteça. Todas as decisões têm o seu preço, mas existem aquelas cujo preço vale a pena pagar. Lembre-se: Jesus nunca nos disse que seria fácil, mas prometeu estar conosco até o fim (Mateus 28.20b).

Diante disso, comecei a reparar em alguns sinais que delatam se estamos ou não vivendo como reféns do passado. O primeiro deles é a antecipação da dor. Em alguns momentos, passamos por experiências tão traumáticas que, por conta do receio pela dor que podemos sentir, é como se travássemos diante do menor vestígio de viver algo parecido com o que nos machucou. Isso acaba nos colocando em uma prisão que, se não tomarmos cuidado, pode nos levar a um ciclo vicioso que nunca mais terá fim. Quando isso acontece, é como se um único sofrimento nos fizesse sentir que passamos por cinquenta experiências traumáticas.

Outro sinal de que estamos presos ao passado é quando baseamos a grande maioria das nossas decisões no medo. Medo da falta, medo da morte, da dor, medo de perder algum ente querido, medo do que as pessoas vão pensar e por aí vai. A grande questão é que, algumas vezes, pautamos tanto a nossa vida no medo que seríamos capazes de qualquer coisa para nunca mais ter de passar por aquilo que tememos. Dessa maneira, começamos a agir de forma preventiva, deixando de arriscar tudo pela nossa felicidade e pela concretização dos planos de Deus em nossa vida. Em vez disso, acabamos sempre jogando na defensiva, com medo de não nos machucarmos outra vez.

Na realidade, esse quadro tem nome, e se configura como um dos maiores mecanismos de defesa dos seres humanos: a autopreservação.[1] O instinto de sobrevivência do Homem sempre buscará o conforto, a estabilidade e a segurança. Sendo assim, se algo nos machucou no passado, nosso cérebro, automática e inconscientemente, interpreta aquela situação como uma ameaça, passando a se certificar de que nossas decisões não nos levarão a encontrar esse "algo" novamente.

Entretanto, por mais que esse instinto seja útil para nos proteger, ele também pode se tornar uma ameaça e imobilizar o verdadeiro crescimento, nos atrapalhando de deixar o passado para trás, que é justamente o que tem o poder de nos levar ao desenvolvimento pessoal. Isso, porque, quando fugimos de situações adversas ou evitamos dores passadas, em vez de enfrentarmos as circunstâncias [por mais que elas doam], mesmo sem perceber, nos recusamos a amadurecer. O problema desse tipo de mentalidade é que, além de estagnar a nossa vida e continuar nos ferindo lentamente, ela tem

---

[1] **Autopreservação**. Pathwork. Disponível em *http://www.terapiadoser. com.br/RJES//PathworkDic/Consult/dic_sh_term.php?lang=por&term_ nbr=89*. Acesso em outubro de 2019.

suas raízes no medo, e Deus não opera no medo, mas por meio da fé, da esperança e do amor, sendo o maior deles o amor (1 Coríntios 13.13). Não apenas isso, mas a Bíblia diz:

> No amor não há medo; pelo contrário o perfeito amor expulsa o medo, porque o medo supõe castigo. Aquele que tem medo não está aperfeiçoado no amor. (1 João 4.18)

O medo é um dos maiores inimigos do recomeço, pois ele nos impede de voltar a sonhar, de arriscar e tentar algo novo. Pelo contrário, ele nos paralisa, nos estaciona na mesma realidade traumática e nos acovarda pelo resto de nossas vidas. Porém, Deus nos chamou para mais do que isso.

Existe um caminho mais alto que o medo: o caminho do amor. Apenas quando entendemos o quanto somos amados por Deus, podemos finalmente vencer o medo, pois, ainda que o nosso passado nos garanta e alerte que iremos nos ferir novamente, se nos permitimos ser transformados por essa revelação, passamos a dar espaço para que esse amor preencha o nosso coração. Por outro lado, isso não nos isenta da responsabilidade de vencer o nosso próprio medo. A escolha é nossa: ou daremos ouvidos à autopreservação, que nos paralisa e impede de avançar, ou seremos autorresponsáveis e decidiremos lutar por um futuro melhor, abandonando o nosso passado.

Se houve alguém que entendeu o princípio da autorresponsabilidade foi Josué. Mesmo diante de um povo que, constantemente, demonstrava sua infidelidade ao Senhor, ele decidiu: "Eu e minha casa serviremos ao Senhor". Esse líder não se importou com a escolha dos outros, nem com os traumas da geração passada. Ainda que todas as outras pessoas tivessem optado pelo caminho da idolatria e dado suas costas para Deus, ele já havia tomado a sua decisão, e estava disposto a ir até o fim com ela. O guerreiro se recusou a ser refém tanto do que os outros diziam como do seu passado. Tudo é uma questão de escolha.

Recentemente, eu e minha esposa assistimos a um filme que, em uma das cenas, havia uma criança que se escondia no quarto para chorar, enquanto os pais brigavam na sala de estar. Na mesma hora, me lembrei de quando essa criança era eu. Refugiado em meu quarto, enquanto os meus pais discutiam, mesmo novo, eu já havia perdido a conta da quantidade de vezes em que esse cenário havia acontecido em casa. Seria muito fácil para mim me dar por vencido e apenas aceitar que, se essa era a minha referência durante a infância e adolescência, eu estaria fadado a repetir esse comportamento. Entretanto, isso não era verdade. Eu sabia que poderia decidir por algo melhor. Eu podia escolher ser um pai melhor do que o meu foi, e você também pode.

Graças a Deus e ao Seu imenso amor, hoje podemos ter a convicção e a esperança de que não somos mais cativos do que já vivemos, mas livres. Como as Escrituras nos dizem:

> Foi para a liberdade que Cristo nos libertou. Portanto permaneçam firmes e não se deixem submeter novamente a um jugo de escravidão. (Gálatas 5.1)

Algo que me chama muito a atenção nesse versículo é que a própria Palavra nos garante que a submissão ao jugo de escravidão é uma escolha nossa. E isso é devido à obra redentora de Cristo na cruz, que nos possibilitou não apenas sermos livres do pecado, mas de tudo aquilo que nos aprisiona. Ele nos libertou do nosso passado, para que pudéssemos ter um futuro; nos livrou das nossas dores, ansiedade, depressão, medo, doenças, inseguranças e tudo o que poderia nos roubar a alegria e a vida abundante que Deus planejou para nós, e colocar em um cativeiro.

Não sei se muitos param para pensar nisso, mas é interessante como a escravidão do pecado é, em si, uma submissão ao passado. Uma vez que a humanidade estava fadada a pagar o preço pelo seu primeiro erro, que aconteceu no Jardim, estaríamos presos a isso até hoje, vivendo em função de algo que já aconteceu. Quando Adão e Eva comeram do fruto da árvore do Conhecimento do Bem e do Mal, o pecado entrou na Criação, mas, com o sacrifício de Cristo, esse pecado passou a não ser mais uma sentença em nossas vidas.

Não somos mais reféns da nossa antiga natureza, mas livres para escolhermos uma vida abundante ao lado de Jesus (João 10.10).

Agora, precisamos entender que nem toda decisão que tomarmos para abandonar o nosso passado acontecerá automaticamente, ou sem algum tipo de resistência. Toda vez que optamos por algo melhor do que o que temos hoje, devemos estar preparados para lutar por aquilo que desejamos. A mudança não acontece da noite para o dia, e se não nos mantivermos firmes e constantes, não alcançaremos os nossos objetivos. Inclusive, muito provavelmente, voltaremos para os cativeiros de antes.

Entretanto, por mais difícil que seja, a chave para que isso não aconteça conosco é confiar; não em nossas forças, mas n'Aquele que nos convida a abandonar o que passou e prosseguir para um futuro ao Seu lado. Não existe passado obscuro demais ou prisão forte o suficiente para resistir ao poder do nosso Deus, e é Ele quem luta por nós.

Quando você sentir como se não conseguisse escapar do seu passado, ou até mesmo quando a caminhada parecer complicada demais, tenha fé em quem é Deus, e no que a Sua Palavra diz, porque é isso que nos garante a vitória:

> Que diremos, pois, a estas coisas? Se Deus é por nós, quem será contra nós? (Romanos 8.31)

> Como está escrito, somos entregues à morte todo o dia; somos reputados como ovelhas para o matadouro. Mas em todas estas coisas somos mais do que vencedores, por aquele que nos amou. (Romanos 8.36-37)

A Bíblia está repleta de textos que nos encorajam a adotar uma postura agressiva na luta por aquilo que Ele tem reservado para nós. E o melhor nisso tudo é que a nossa vitória é certa. Não por nossa própria força, mas através do poder de Deus. Da mesma forma que Davi derrotou o gigante Golias na força do Senhor dos exércitos, assim também nós venceremos os nossos traumas do passado e daremos mais um passo rumo ao recomeço das nossas vidas.

Sempre que penso nisso, eu me lembro da passagem de Lucas 5:

> E aconteceu que, quando estava numa daquelas cidades, eis que um homem cheio de lepra, vendo a Jesus, prostrou-se sobre o rosto, e rogou-lhe, dizendo: Senhor, se quiseres, bem podes limpar-me. E ele, estendendo a mão, tocou-lhe, dizendo: Quero, sê limpo. E logo a lepra desapareceu dele. E ordenou-lhe que a ninguém o dissesse. Mas vai, disse, mostra-te ao sacerdote, e oferece pela tua purificação, o que Moisés determinou para que lhes sirva de testemunho. (Lucas 5.12-14 – ARC)

Naquela época, quando alguém era diagnosticado com lepra, exilavam-no de sua cidade, já que essa era uma doença extremamente contagiosa. Como se não bastasse, essa enfermidade era associada diretamente ao pecado, o que fazia com que a pessoa que contraísse lepra fosse automaticamente estigmatizada como pecadora e impura.

Isso quer dizer que a realidade que aquele leproso de Lucas 5 havia vivido nos últimos anos era provavelmente de muita dor e sofrimento. E isso o afetava tanto no âmbito físico, pois a lepra é uma enfermidade terrivelmente devastadora, quanto no emocional, por conta do isolamento da sociedade. Ele carregava em si o peso de alguém que fora amaldiçoado por causa do seu suposto pecado, e que estava fadado a passar o resto dos seus dias longe das pessoas que amava; até o momento em que foi encontrado por Jesus.

Sim, o Salvador o curou de sua lepra, mas, muito mais do que isso, Ele o libertou de seu passado e o permitiu recomeçar sua vida. Ao curá-lo, Jesus mudou toda a sua realidade, pois, a partir dali, ele não poderia mais retornar ao leprosário, uma vez que estava saudável. Além disso, não seria mais taxado de pecador, já que a lepra havia sumido.

Algo curioso que imagino a respeito dessa história é que, depois de tudo o que havia feito, o Mestre ainda mostrou a direção certa que o homem recém--curado deveria seguir, visto que, ao que tudo indica, ele provavelmente não sabia mais o que fazer ou para onde ir depois daquele milagre, afinal nem este nem o restante dos leprosos tinham perspectivas de que aquela sentença de morte algum dia mudaria.

Assim como ele, muitas vezes, não sabemos para onde ir, mas temos convicção a respeito de para onde não podemos voltar. É dessa maneira que precisamos nos livrar do nosso passado. Ainda que não tenhamos certeza do que o futuro nos reserva, sabemos Quem está conosco pelo caminho.

Portanto, decida recomeçar, de fato, como uma folha em branco. Você não é refém das suas feridas, de sentimentos ruins, dos históricos negativos ou traumas que um dia possa ter vivenciado. Você pode escolher ser e fazer diferente. E hoje, o meu convite é para que você descubra o poder da autorresponsabilidade, abandone tudo aquilo que é velho e decida ir em direção ao novo de Deus. Pois é como 2 Coríntios diz:

> Assim que, se alguém está em Cristo, nova criatura é; as coisas velhas já passaram; eis que tudo se fez novo. (2 Coríntios 5.17 – ACF)

Capítulo 8

Tenha alguém

Um dos maiores enganos quando falamos sobre recomeço é a ideia de que alguém consegue fazer isso sozinho. Muitas vezes, olhamos para os nossos problemas e, por algum motivo, colocamos na cabeça que temos de enfrentar as situações sem ajuda. Assim, não compartilhamos das nossas dores e angústias com os outros, e tentamos por nós mesmos achar todas as soluções.

Acredito que isso seja algo que absorvemos culturalmente nos dias de hoje. Quem não se lembra do filme de faroeste em que o mocinho enfrenta o vilão e seu exército de capangas completamente sozinho? Ou, então, o desenho cujo personagem mais legal é aquele que consegue vencer todos os seus adversários sem ajuda?

Desde cedo, nós aprendemos a valorizar a figura do "Lobo Solitário", que exerce a caminhada e a luta em carreira solo como sinônimos de força e bravura.

Mas a verdade é que essa ideia só funciona na ficção. A realidade não poderia ser mais diferente.

O mundo está repleto de pessoas completamente exaustas por tentarem vencer as dificuldades e o pecado sozinhas. E o pior é que quando elas olham para trás e percebem que se esforçaram muito, mas avançaram pouco, ou até mesmo nem foram capazes de chegar a lugar nenhum, então toda aquela fantasia dos filmes começa a dar lugar a uma inevitável verdade: o ser humano não foi feito para andar só. E essa não é apenas a minha opinião, mas a de Deus também. Isso fica mais claro quando a Bíblia nos diz que:

> E disse o Senhor Deus: Não é bom que o homem esteja só [...] (Gênesis 2.18 – ACF)

Não fomos criados para caminhar sem outras pessoas, e se tentamos, nós nos machucamos. Somos sobrecarregados pelas pressões da vida, e quando não suportamos mais, podemos não encontrar forças para nos levantar sozinhos. Precisamos de ajuda.

Outro texto que também nos mostra a importância de não andarmos sozinhos é:

> E disse Deus: **Façamos** o homem à nossa imagem; conforme a nossa semelhança [...] (Gênesis 1.26 – ACF – grifo do autor)

Se somos feitos à imagem e semelhança de Deus, obviamente somos seres relacionais. Nem mesmo Deus Pai é sozinho. Ele é três em um [juntamente com o Filho e o Espírito Santo], e unidos formam a Trindade. Se até o Senhor não caminha só, por que é que nós ficaríamos? Logo, assim como Ele, devemos procurar nos conectar com outras pessoas. Fomos criados para viver em comunidade, como o nosso Pai.

Porém, em diversos momentos, apesar de não admitirmos, acabamos escondendo as nossas angústias dos outros por orgulho. Dessa forma, por trás da aparência de coragem ao lutarmos sozinhos, na verdade, o que não queremos é que as pessoas vejam as nossas fraquezas e vulnerabilidades. O problema nisso tudo é que damos tanta importância para o que os outros pensam sobre nós, que preferimos afundar no mar do que admitir que não sabemos nadar. Precisamos entender que o temor de homens nos impede de buscar ajuda e de nos conectar com as pessoas. Isso nos torna muito superficiais em nossos relacionamentos e ineficientes na busca do nosso propósito. Não apenas isso, mas nesse lugar de orgulho, somos feridos pela falta de conexões verdadeiras, o que faz com que nos tornemos ainda mais suscetíveis à queda.

Outra coisa que pode nos ferir profundamente e nos deixar humilhados é o pecado, que está sempre à procura de uma oportunidade para nos destruir. Quando ele entra em nossas vidas, o Inimigo consegue cobrir a nossa visão e trazer vergonha e medo. Assim nós escondemos nossos erros e ficamos presos no cativeiro da dor e da solidão.

E você sabe o que acontece com uma ferida que fica escondida? Além de não parar de doer, com o passar do tempo, ela começa a infeccionar e piorar. Então, a dor aumenta cada vez mais, e quando nos damos conta, estamos com um problema muito maior do que tínhamos no início. Assim, o que antes era uma simples ferida, torna-se, então, uma infecção; e o que, no começo, era fácil de tratar, agora, requer cuidado especial.

Por outro lado, quando encontramos alguém disposto a nos ajudar na caminhada, tudo fica mais fácil. No processo de cura, tanto do pecado quanto das dores que a vida nos traz, ter pessoas-chave que nos auxiliem é crucial. É exatamente isso que a Palavra de Deus nos diz:

> Confessai as vossas culpas uns aos outros, e orai uns pelos outros, para que sareis. A oração feita por um justo pode muito em seus efeitos. (Tiago 5.16 – ACF)

Algo que precisamos entender a respeito de Deus é que uma das principais formas como Ele demonstra o Seu amor é através dos outros. Ele ama usar pessoas para abençoar pessoas, e esse texto é apenas um dos muitos que revelam os benefícios de termos alguém ao nosso lado na trajetória.

Muitas vezes, quando pecamos, somos rápidos em pedir perdão para o Senhor, o que é muito bom. Sempre que nos encontramos em situação de pecado para com Deus, devemos reconhecer a nossa falha, nos arrepender e clamar rapidamente a Ele para que nos lave com o Seu sangue precioso e jogue os nossos pecados no mar do esquecimento. No entanto, frequentemente, acabamos não nos atentando à próxima parte do processo, que é sermos curados das feridas que o pecado deixou em nós. Para isso, precisamos uns dos outros. Sim, para sermos perdoados, necessitamos apenas do Senhor, mas a maneira que Ele escolheu para nos curar foi através de um relacionamento profundo com pessoas; tão intenso a ponto de confessarmos os nossos erros a elas. Em outras palavras, se não expomos nosso pecado, a cura jamais virá, o que também significa que, automaticamente, o recomeço se tornará impossível.

Agora, neste ponto, é muito importante enfatizarmos uma coisa: não podemos nos confessar e nos abrir a qualquer um. Se confessarmos as nossas dores para a pessoa errada, podemos vê-las expostas para todo mundo. Isso sem contar que podemos sair com nova ferida gerada pela quebra de confiança, o que, com certeza, nos fará atingir um estado ainda pior do que aquele em que estávamos quando buscamos ajuda inicialmente.

Todos nós conhecemos alguém que, um dia, cometeu esse erro, confiando algo importante e privado à pessoa errada e, no final, acabou pagando caro por isso. Infelizmente, nem todos são bem-intencionados neste mundo, então é preciso ter cuidado quando escolhemos a quem confiar a nossa vida. Lembre-se: seu coração é precioso demais para ser entregue a qualquer um.

Um clássico exemplo bíblico dessa realidade foi José, que pagou um alto preço por confiar seu coração a pessoas que, por mais próximas que fossem, não o amavam de verdade:

> Quando José tinha dezessete anos, pastoreava os rebanhos com os seus irmãos. Ajudava os filhos de Bila e os filhos de Zilpa, mulheres de seu pai; e contava ao pai a má fama deles. Ora, Israel gostava mais de José do que de qualquer outro filho, porque lhe havia nascido em sua velhice; por isso mandou fazer para ele uma túnica longa. Quando os seus irmãos viram que o pai gostava mais dele do que de qualquer outro filho, odiaram-no e não conseguiam falar com ele amigavelmente. Certa vez, José teve um sonho e, quando o contou a seus irmãos, eles passaram a odiá-lo ainda mais. "Ouçam o sonho que tive", disse-lhes. "Estávamos amarrando os feixes de trigo no campo, quando o meu feixe se levantou e ficou em pé, e os seus feixes se ajuntaram ao redor do meu e se curvaram diante dele". Seus irmãos lhe disseram: "Então você vai reinar sobre nós? Quer dizer que você vai nos governar?" E o odiaram ainda mais, por causa do sonho e do que tinha dito. (Gênesis 37.2-8)

José não tinha um bom relacionamento com seus irmãos. Na verdade, eles o odiavam, tanto por ser o preferido de seu pai, como pelo fato de que ele sempre delatava os erros que eles cometiam. Porém, mesmo nesse contexto desfavorável e disfuncional, ele decidiu contar um de seus sonhos aos irmãos. A questão é que não era um sonho qualquer, mas um que, com certeza, causaria muita inveja no coração dos furiosos irmãos. Dito e feito. Agindo em completa ingenuidade e falta de sabedoria, José deu crédito a pessoas que não mereciam sua confiança, e sofreu as consequências por isso:

> Disse-lhe o pai: "Vá ver se está tudo bem com os seus irmãos e com os rebanhos, e traga-me notícias". Jacó o enviou quando estava no vale de Hebrom [...] Assim José foi em busca dos seus irmãos e os encontrou perto de Dotã. Mas eles o viram de longe e, antes que chegasse, planejaram matá-lo. "Lá vem aquele sonhador!", diziam uns aos outros. "É agora! Vamos matá-lo e jogá-lo num destes poços, e diremos que um animal selvagem o devorou. Veremos então o que será dos seus sonhos". (Gênesis 37.14-20)

Acredito que não seja loucura afirmar que, se não fosse pelo Senhor, que tinha um plano de usá-lo para trazer salvação a toda a Nação, José poderia ter pago um preço ainda mais alto por entregar seu coração a pessoas erradas. Ele foi vendido como escravo, acusado injustamente e ficou preso por muito tempo antes de se tornar o José do qual todos nos lembramos. Sim, no final da história tudo deu certo, e o seu sonho acabou se realizando, mas ele poderia ter sido poupado de muita dor e sofrimento se tivesse escolhido melhor em quem confiar.

Por isso, se sabemos que temos de confessar nossos pecados a outras pessoas, contando com suas orações e ajuda para sermos curados, o grande "x" da questão, na realidade, é saber a quem podemos confiar a nossa dor ou nossos segredos. Como escolher de forma correta aqueles que terão acesso às partes mais sensíveis e vulneráveis da nossa vida?

A primeira coisa que devemos observar ao procurar por pessoas-chave é se elas realmente nos amam. Isso é crucial e de extrema importância, pois quando confessarmos os nossos pecados e lhes mostrarmos as nossas feridas, aqueles que realmente nos amam não irão nos expor para nos prejudicar, mas nos proteger, criando um ambiente seguro onde possamos ser curados.

Nunca podemos julgar o coração das pessoas, mas é possível conhecer a árvore pelos seus frutos. Existem sinais que revelam o amor que sentimos uns pelos outros, e devemos ficar atentos para identificá-los nas pessoas que nos cercam antes de nos abrirmos a elas. Um dos melhores indicadores para discernirmos isso é o sucesso. Quando você está vivendo dias bons, em qualquer área de sua vida, quais são as reações das pessoas à sua volta? Elas celebram a sua alegria, ou ficam tentando minar a sua felicidade? A forma como as pessoas reagem ao nosso crescimento indica o que elas sentem em seus corações.

A verdade é que são nos períodos de sucesso que nós realmente somos capazes de perceber o quão verdadeiras são as nossas amizades. Enquanto estamos em tempos difíceis, muito raramente alguém que se diz nosso amigo ficará contra nós, pois se compadecer de uma pessoa que está enfrentando lutas é uma atitude aparentemente nobre, e, muitas vezes, faz até com que alguns se sintam superiores. Entretanto, lidar com o sucesso alheio é algo muito mais desafiador, uma vez que se alegrar com a conquista do outro, independentemente de como está a sua vida, é tão difícil que só pode ser feito por aqueles que realmente amam. Em tempos de sucesso, conseguimos observar e determinar, com bastante precisão, quem são as pessoas que verdadeiramente se importam conosco.

Outro indicador para ter certeza se as pessoas ao nosso redor são realmente dignas de confiança e nos amam é se as coisas que contamos para elas permanecem em segredo ou são disseminadas dentro da comunidade. Dessa forma, fica fácil identificar qual é o verdadeiro interesse de alguns quanto ao nosso bem-estar. Aqueles que nos amam buscam nos proteger, enquanto os que não se importam conosco espalham os nossos segredos, pois ao nos fragilizar, eles parecem superiores.

Quando aprendemos a analisar as pessoas que estão próximas de nós com mais intencionalidade e racionalidade, fica cada vez mais difícil sermos enganados na hora de escolhermos alguém para confiar. A ingenuidade começa a dar lugar à maturidade e, dessa forma, passamos a não cometer mais o mesmo erro de José, mas a escolher nossas amizades com muito mais segurança.

Porém, esse tipo de amizade não aparece do nada em nossas vidas. Construir relacionamentos fortes e profundos requer muito esforço, pois amigos verdadeiros, que nos amam simplesmente por quem somos, são raros. E a única coisa capaz de mostrar o nível de relacionamento genuíno que temos com alguém é o tempo, pois a confiança só pode ser realmente construída com o passar dos anos.

Quantas vezes nos deparamos com alguém que nos conectamos tão bem e de maneira tão rápida, que achamos que seria uma daquelas amizades que duram para sempre, com as quais poderíamos abrir o nosso coração, mas, a certa altura, percebemos que estávamos enganados? Ainda que existisse muito em comum, e muito investimento emocional envolvido, com os anos, nos damos conta de que não era tudo aquilo que imaginávamos. Isso acontece porque esses relacionamentos não passaram no que chamamos de "teste do tempo".

Nesse caso, o "teste do tempo" é a expressão que usamos para nos referir a algo que se tornou muito popular, ou fez muito sucesso em curto período, mas que, apesar disso, não conseguiu se sustentar ao longo dos anos, deixando, portanto, de "passar no teste". É o exato oposto de *hype*, termo usado para indicar que algo está em seu ápice de popularidade.

    Talvez, mais do que nunca, precisamos pensar nos nossos relacionamentos de forma sóbria, e realmente analisar se estamos confessando nossos pecados e nossas dores a amizades que estão no *hype*, ou para aquelas que foram provadas e aprovadas pelo tempo. Quando arriscamos nos abrir a pessoas com quem temos pouco tempo de caminhada, corremos o risco de ser magoados e expostos. Então, aquilo que devia ser uma fonte de cura para nossa alma se torna um instrumento que causa ainda mais dor. Porém, quando confiamos naqueles que já se provaram dignos, encontramos a cura para o nosso coração. Nunca se esqueça de que as amizades que Deus nos envia apontam para a eternidade. E é justamente em razão disso que passar pelo "teste do tempo" é sempre um bom sinal.

    Em contrapartida, isso não quer dizer que só existem dois tipos de pessoas: aquelas em quem devemos confiar completamente e aquelas que não devemos confiar de forma alguma. A verdade é que há níveis de relacionamento em nossas vidas, e quanto mais aprofundamos a amizade, mais o grau de confiança muda. Saber definir as pessoas dentro desses níveis é crucial, e também um sinal de maturidade, já que isso alinha as nossas expectativas com a realidade.

Não há exemplo melhor do que o de Cristo. Ele tinha níveis de relacionamentos: a multidão que O seguia, as pessoas que conhecia, os doze discípulos, e entre eles, os três mais chegados, Pedro Tiago e João. Entretanto, mesmo nesse trio, Jesus considerava João o mais próximo. A categorização que havia nas conexões do Mestre sempre foi clara. Não existe melhor maneira de classificarmos nossos relacionamentos do que imitando a Cristo. Só assim conseguiremos descobrir quem são as pessoas certas para nos abrirmos dentro no nosso círculo de amizades.

Além disso, o que pode nos ajudar muito a desenvolver esse tipo de relacionamento é a vida em comunidade. Embora muitos tenham as suas ressalvas quando o assunto é a Igreja, não existe outro lugar no mundo em que você encontrará tantas pessoas querendo ser como Jesus. Quando caminhamos com indivíduos que buscam praticar amor, perdão, compaixão e outros valores cristãos, a probabilidade de descobrirmos seres humanos que serão instrumentos de cura na nossa vida é muito maior do que em qualquer outro grupo.

Sim, eu sei, muitos tiveram experiências ruins quando decidiram se inserir em uma igreja. Talvez alguns dos traumas que você carrega tenham acontecido nesse contexto. Porém, isso não quer dizer que não seja o melhor lugar para desenvolvermos os nossos relacionamentos interpessoais e encontrarmos o que precisamos para recomeçar.

Aliás, quando falamos sobre recomeços, isso vale para tudo em nossas vidas, inclusive para o nosso relacionamento com a Igreja. Por que defendemos as segundas chances para tudo, menos para a Igreja? [E, aqui, não me refiro a uma congregação local específica, mas ao Corpo de Cristo]. Da mesma forma que a graça do Senhor nos permite fazer as coisas de forma diferente, assim também devemos estender graça ao Corpo. Isso se torna mais fácil quando entendemos que Deus ama a Igreja, e escolheu esse ambiente de união com os nossos irmãos para derramar a Sua bênção. Note:

> Oh! quão bom e quão suave é que os irmãos vivam em união. É como o óleo precioso sobre a cabeça, que desce sobre a barba, a barba de Arão, e que desce à orla das suas vestes. Como o orvalho de Hermom, e como o que desce sobre os montes de Sião, porque **ali o Senhor ordena a bênção e a vida para sempre**. (Salmos 133.1-3 – ACF – grifo do autor)

Fazer as pazes com o Corpo de Cristo é um grande passo rumo ao recomeço, e nos coloca na posição de sermos abençoados e termos vida para sempre. Nesse lugar, além de sermos fortalecidos, encontraremos as pessoas certas para sermos finalmente curados. Portanto, não se prenda a placas de igrejas, denominações e afins. Busque por uma comunidade séria, em que todas as pessoas estejam engajadas no mesmo propósito: parecer-se com Cristo e estabelecer o Seu Reino aqui na Terra. Mas não esqueça: os homens sempre falharão. Mesmo nas igrejas mais respeitadas, mesmo as pessoas mais espirituais que conhecemos. É justamente por isso que os nossos olhos sempre precisam estar apenas em Jesus, que nunca irá falhar ou nos decepcionar.

No entanto, independentemente de nossos relacionamentos fazerem parte do contexto da Igreja, é necessário analisarmos o perfil das pessoas com as quais decidimos compartilhar as nossas dores, já que nem todos carregam os mesmos valores que nós. Isso pode parecer algo irrelevante para muitos, mas é extremamente importante, porque é impossível caminhar junto com aqueles que estão indo em direções diferentes da nossa.

Esta não é apenas a minha opinião, mas o que a Palavra do Senhor afirma:

> Porventura andarão dois juntos, se não estiverem de acordo?
> (Amós 3.3 – ACF)

Não faz sentido pedirmos a opinião de alguém se não concordamos com a sua maneira de pensar e agir. Na verdade, a pergunta que fica é: por que iríamos querer deixar com que essa opinião influenciasse as nossas vidas? Devemos buscar pessoas tementes a Deus, que carreguem a mentalidade do Reino dos Céus, e que nos ajudarão em amor e verdade. Esses são os relacionamentos que nos trazem cura e apontam para o nosso destino.

Além do mais, outra coisa essencial é não buscarmos a cura para os nossos problemas com alguém que esteja enfrentando as mesmas coisas. Tantas vezes, corremos atrás da ajuda de pessoas que estão sofrendo da mesma forma que nós, sem percebermos o quanto isso não é sábio da nossa parte. É o que Jesus disse: "Se um cego conduzir outro cego, ambos cairão num buraco" (Mateus 15.14b). Igualmente, não adianta procurarmos cura para o que o nosso pecado fez conosco com alguém que está lutando contra essa mesma fraqueza.

Na realidade, nesses casos, não encontraremos cura ou solução para a nossa dor, mas sofreremos juntos, já que a outra pessoa não terá condições de nos ajudar, nem o contrário. Por isso, o segredo está em buscar aqueles que já estiveram onde nós estamos hoje, mas que conseguiram vencer. Esses, sim, podem nos mostrar o caminho, e trazer cura e redenção para as áreas da nossa vida que ainda doem. Lembre-se: ninguém pode levar outra pessoa a um lugar em que nunca esteve.

Com isso em mente, é imprescindível mencionar o porquê dessas coisas. A cura, a bênção, a restauração e tudo o que recebemos de Deus não podem parar em nós. Depois de sermos curados, abençoados e restaurados, o Senhor nos convida a fazer o mesmo por outras pessoas. E acredite: "há maior felicidade em dar do que receber" (Atos 20.35).

Quando as nossas feridas são curadas, elas se tornam cicatrizes, e essas marcas que ficam servem de testemunho da obra redentora que o Senhor fez em nossas vidas. Dessa forma, outras pessoas que estão carregando consigo as dores do pecado e do passado podem olhar para as nossas cicatrizes e receber esperança. O seu testemunho a respeito do que Deus fez na sua vida é capaz de transformar a vida de alguém, simplesmente por demonstrar o poder e a bondade do Senhor. Por isso, as Escrituras nos garantem:

> É melhor ter companhia do que estar sozinho, porque maior é a recompensa do trabalho de duas pessoas. Se um cair, o amigo pode ajudá-lo a levantar-se. Mas pobre do homem que não tem quem o ajude a levantar-se! (Eclesiastes 4.9-10)

Assim como, tantas vezes, oramos para que Deus nos envie pessoas que nos ajudem a levantar de onde caímos e que sejam instrumentos de cura para nós, também devemos ser a resposta da oração de alguém. Hoje, nós temos a oportunidade de sermos diferentes das pessoas que já nos machucaram ao escolhermos nos importar e nos disponibilizar a sermos usados por Deus para curar outras vidas. Não existe maior privilégio que esse.

Portanto, busque as pessoas certas para confessar os seus pecados e dores, e, nesse caminho, encontre a cura e o recomeço que você precisa. Mas não pare por aí. Existem aqueles que precisam ouvir o que Deus está prestes a fazer em você. Então, use o seu recomeço para inspirar essas pessoas a fazerem o mesmo. Não desanime, porque, ainda que você não sinta agora, vai valer a pena.

capítulo 9

Solte o controle

Quando eu era criança, o meu sonho era ter um *videogame*. Enquanto não podia comprar, o meu maior passatempo era ficar horas imaginando o dia em que eu poderia passar a noite inteira jogando, me divertindo e aproveitando. Até que, um tempo depois, um amigo decidiu me emprestar o dele. Mal podia acreditar. Palavra nenhuma no mundo seria capaz de expressar a alegria que eu senti no momento em que peguei aquele aparelho nas mãos. Por mais bobo que parecesse, mesmo que soubesse a verdade, eu sentia como se aquele *videogame* fosse meu. Entretanto, apesar da minha empolgação, só consegui desfrutar do brinquedo por duas noites.

Na primeira noite em que eu estava jogando, meu pai entrou no meu quarto e disse: "Desliga o *videogame*!", e eu não obedeci. Na segunda noite, aconteceu a mesma coisa. Mas, na terceira, quando me recusei a desligar, meu pai pegou o aparelho e o jogou no meio da rua. Nunca vou me esquecer dessa cena: meu pai arrastando o *videogame* do meu amigo pelos fios e atirando-o da sacada.

Felizmente, tudo acabou dando certo, já que aquele não era qualquer *videogame*, e sim um Super Nintendo, que é praticamente indestrutível. Ele ainda funcionava, embora estivesse com alguns pedaços quebrados. Morto de vergonha, devolvi o brinquedo ao meu amigo, que, obviamente, não gostou nem um pouco dos estragos. Mas por pior que tenha sido toda essa situação, hoje consigo enxergar a razão que acabou me fazendo perder a oportunidade de aproveitar o *videogame* por mais tempo: eu não consegui abrir mão do controle.

De fato, decidir abandonar o controle nunca é fácil. Afinal, se há algo intrínseco à natureza humana é a nossa busca incessante por controlar todos os aspectos das nossas vidas. Quanto mais as coisas correm de acordo com os nossos planos, mais seguros nos sentimos, uma vez que tudo parece estar sob a nossa direção.

Igualmente, quando o que planejamos não funciona, isso nos afeta de maneira muito profunda. Nós nos sentimos vulneráveis quando ocorrem imprevistos ou problemas que não conseguimos antecipar, e isso acontece ainda mais quando percebemos as coisas saindo do nosso controle, uma vez que nos dá uma forte sensação de impotência e nos leva ao desespero.

A verdade é que amamos guiar as nossas vidas pelos caminhos que pensamos que devemos trilhar. Por algum motivo, nós nos consideramos ótimos comandantes da nossa própria história. A partir do momento em que passamos a conduzir a nossa jornada da forma como achamos mais eficaz, criamos uma forte convicção de que não há ninguém melhor que nós mesmos para fazer esse trabalho.

Entretanto, por mais que custemos a admitir, a realidade é que todo esse controle que lutamos para exercer sobre a nossa vida não nos levou para perto dos nossos sonhos, mas para um lugar de cansaço e frustração, porque apesar de todo o nosso esforço, as coisas, ainda assim, não aconteceram da forma como planejamos.

Sinceramente, se hoje você está lendo este livro e buscando forças para recomeçar sua vida, é necessário reconhecer que todo o seu controle não foi capaz de levá-lo aonde você queria chegar. Não precisaríamos começar de novo se tivéssemos conseguido guiar a nossa história até o destino que procurávamos.

Para ilustrar melhor, pense na vida como se ela fosse um carro. Todo carro tem a capacidade de sair de onde está e ir a praticamente qualquer lugar, porém, para isso, ele precisa ser dirigido por alguém. Quem se senta no volante tem o controle do veículo, e considerando que o carro é nosso, somos nós que elegemos quem se assenta no banco do motorista e guia para onde o automóvel vai.

Geralmente, o motorista eleito como o mais capacitado para alcançar o destino que queremos somos nós mesmos. Afinal, confiamos em nossas habilidades e temos total convicção de que não há ninguém melhor para essa tarefa. O problema é que, muitas vezes, não conhecemos o caminho que nos leva ao lugar que desejamos, isso quando sabemos onde temos de chegar, o que nem sempre acontece. Assim, em vez de simplesmente admitirmos essa realidade e entregarmos o volante para alguém que, de fato, saiba o trajeto, preferimos nos manter nesse posto ainda que não cheguemos a lugar nenhum. Mas, querendo ou não, a única coisa que esse orgulho é capaz de fazer é nos estagnar.

É a mesma velha história do casal que saiu de carro para algum lugar, perdeu-se, mas o marido se recusava a ligar o GPS ou pedir uma informação, por insistir que não estava perdido. Narrativas como essa geralmente acabam provocando muitas risadas, já que é inevitável não pensar na estupidez de alguém assim. Contudo, é exatamente isso que fazemos com a nossa vida. O tempo inteiro, nós nos recusamos a reconhecer que não sabemos o caminho e devemos abrir mão do controle. É exatamente isso que nos leva a acabar no acostamento da estrada, sem gasolina e direção, pedindo ajuda para recomeçar.

Por isso, o passo número um antes de começarmos qualquer coisa outra vez é admitir que, do nosso jeito não deu certo, que nós não sabemos qual o caminho a seguir e que precisamos de ajuda. É necessário sair do banco do motorista e abrir mão do controle, por mais difícil que seja, porque a grande verdade é que não fomos feitos para tomar a direção. Não fomos criados para segurar o volante, ainda que relutemos para aceitar isso. Apenas Deus é capaz de guiar as nossas vidas. Só Ele está apto para nos conduzir pelo percurso correto, para que alcancemos os Seus sonhos para nós.

Eu sei, essa ideia pode soar clichê demais para nós, afinal afirmações como "Deus está no controle" já viraram jargão. Porém, existe uma diferença muito grande entre sustentar um discurso de entrega ao Senhor e realmente depender da Sua direção para tomar decisões. Infelizmente, a maioria das coisas que fazemos não demonstra o que falamos, o que significa que, diversas vezes, acabamos mentindo para nós mesmos.

O engraçado é que, em tantos momentos, oramos a Deus: "Eu entrego a minha vida ao Senhor, Pai! Eu Lhe dou tudo!". Mas, na verdade, continuamos dirigindo, como se nada tivesse acontecido. Em outras palavras, é como se disséssemos: "Deus, eu estou Lhe dando o meu carro. É Seu! No entanto, Você não vai poder dirigi-lo, ok? Eu serei o motorista desse veículo todos os dias, mas não se esqueça de que ele é Seu". Como se não bastasse, continuamos guiando o carro por onde queremos ao longo do tempo, até que, um dia, o pneu fura. Então, voltamos para o Senhor e dizemos: "Oi, Deus, tudo bem? Sabe aquele carro que eu Lhe dei? Pois é, ele furou o pneu e eu precisava que Você trocasse. O carro é Seu, lembra?".

Parece loucura, mas é exatamente o que fazemos. Existe um abismo gigante entre o que falamos e o que colocamos em prática. Às vezes, dizemos que entregamos o controle a Deus, mas não queremos que Ele assuma o volante de verdade, mas sim que seja o nosso "seguro", caso algo dê errado. Pedimos pelo cuidado de Deus, mas não aceitamos a Sua direção. Isso nos leva a uma falsa entrega, que não produz mudança alguma, mas engano.

Existem muitas pessoas que se convencem de que entregaram os seus caminhos a Deus, mas, na verdade, ainda estão com o controle na mão, sentadas no banco do motorista. Por outro lado, se esse alguém é você, não se sinta condenado por isso. Agora mesmo, o Senhor lhe estende uma nova chance de entregar tudo a Ele e começar outra vez, da maneira correta. A Palavra diz:

> Confie no Senhor de todo o seu coração e não se apoie em seu próprio entendimento; reconheça o Senhor em todos os seus caminhos, e ele endireitará as suas veredas. (Provérbios 3.5-6)

Acredito que não haja ninguém que ande com Deus que não deseje que Ele endireite as suas veredas, revelando o caminho a seguir e o destino correto a chegar. Porém, algo muito interessante sobre esse texto é que ele nos mostra que, antes disso acontecer, existem alguns pontos que necessitamos nos atentar para alcançar esse resultado.

A primeira coisa que precisamos fazer é "confiar no Senhor de todo o nosso coração". A maioria das pessoas que já frequentou algum tipo de igreja cristã deve ter ouvido essa expressão, mas, por mais na ponta da língua que ela possa estar, a sua prática é algo muito mais difícil do que imaginamos. Isso, porque ninguém confia tudo o que tem a outra pessoa, do nada. O que quer dizer que, se uma das chaves para a entrega do controle é a confiança total, o único meio pelo qual conseguimos fazer isso é através do relacionamento.

Da mesma forma que nunca deixaríamos uma pessoa que não conhecemos dirigir o nosso carro, também não entregamos o controle das nossas vidas a alguém com quem não temos um relacionamento. Só compartilhamos aquilo que é importante para nós com aqueles de quem somos íntimos e que se provaram dignos de confiança. E com Deus é igual. Veja:

> Bendito o homem que confia no Senhor, e cuja confiança é o Senhor. (Jeremias 17.7 – ACF)

Se não desenvolvemos um relacionamento pessoal com Deus, além de não conhecermos o Seu coração, deixamos de Lhe dar a chance de nos mostrar que Ele é digno de confiança. Em contrapartida, é fato que, quanto mais íntimos nos tornarmos do Senhor, mais desejaremos entregar-Lhe o controle da nossa vida. Não apenas porque, quando nos aproximamos, entendemos o quão poderoso, sábio e capaz Ele é de nos guiar, mas porque começamos a compreender o Seu amor por nós, e isso muda tudo. A Palavra nos mostra que:

> Porque Deus amou o mundo de tal maneira que deu o seu Filho Unigênito, para que todo aquele que nele crê não pereça, mas tenha a vida eterna. (João 3.16 – ACF)

Deus não merece a nossa confiança apenas por ter nos criado, ainda que esse, por si só, fosse motivo suficiente para isso. Ele escolheu pagar um preço altíssimo para conquistar o acesso ao nosso coração, reatar o nosso relacionamento com Ele e, consequentemente, nos mostrar que é digno da nossa confiança. O Senhor não precisava de nada disso. Por esta razão, todas as vezes que penso no sacrifício de Cristo, sinto-me constrangido. Ele decidiu se humilhar, sofrer, ser torturado, difamado e morto, para que eu e você, pecadores ingratos, pudéssemos ter paz, justiça e alegria de novo em nossas vidas. Não só isso, mas, sendo morto, Ele ressuscitou, levando Consigo as chaves do inferno e da morte. Tudo por amor. E mesmo após tamanho sacrifício, Jesus continua nos surpreendendo.

Pouco depois, Ele nos enviou o Espírito Santo, e, dia após dia, permanece demonstrando Sua bondade e buscando um relacionamento íntimo conosco.

Entretanto, por mais que esse assunto seja bastante discutido e comentado, muitas vezes, não sabemos como desenvolver uma amizade com Deus de forma que nos leve a conhecê-lO mais profundamente. Mas é simples, tudo começa com o contato com as práticas que nos colocam mais perto d'Ele, como a oração e a leitura bíblica. A verdade é que muitos já aprenderam tanto sobre esses hábitos como sendo uma obrigação, que criaram certa resistência a ambos. Automaticamente, acabamos considerando-as apenas como regras a serem seguidas dentro da vida cristã.

Porém, a grande questão é que, no fundo, não entendemos a verdadeira motivação por trás dessas práticas espirituais. Nós não oramos para cumprir uma meta ou por obrigação, mas sim para conhecer mais a Deus. Não lemos a Bíblia apenas porque devemos, mas porque queremos encontrar o Seu Autor. Quando entendemos que, na realidade, fazemos essas coisas para desenvolver um relacionamento com o Pai, essas práticas deixam de ser um fardo e passam a ser alimento para os nossos corações, pois quanto mais O conhecemos, mais queremos conhecê-lO:

> Então conheçamos, e prossigamos em conhecer ao Senhor.
> (Oseias 6.3 – ACF)

Hoje o Senhor nos convida a chegarmos mais perto d'Ele, para conhecermos o Seu coração e descobrirmos o quão bom Ele é. Somente dessa forma, poderemos confiar nossas vidas a Deus, indo cada vez mais em direção ao recomeço que desejamos.

Todavia, mesmo após aprendermos a confiar no Senhor, precisamos ficar atentos à segunda direção que o versículo de Provérbios nos dá: "não se apoie em seu próprio entendimento". A expressão "apoiar-se" traz o sentido de agir como se o nosso próprio conhecimento fosse o que nos sustenta em todas as situações, trazendo a resposta certa para tudo. Mas ele pode falhar a qualquer momento, nos deixando sem apoio algum, caso não dependamos de Deus.

Quando aprendemos a confiar mais no Senhor, automaticamente passamos a confiar menos em nós mesmos. A principal razão pela qual nós não conseguimos abrir mão do controle das nossas vidas é porque não somos capazes de reconhecer que, na verdade, ele deveria estar nas mãos de outra Pessoa. Nós nos apoiamos demais em nossa própria capacidade, pois agimos como se não soubéssemos de ninguém melhor para nos dar a direção correta. Porém, quando passamos a conhecer a Deus e toda a Sua perfeição, começamos a perceber que existe, sim, alguém mais qualificado do que nós para ter o controle em Suas mãos.

Precisamos entender que nós não sabemos tanto sobre a vida quanto pensamos. Na realidade, sabemos bem pouco. Mas o Senhor é o Autor da vida, e Ele conhece tudo o que há para saber sobre ela. Ele não é apenas o melhor motorista do carro, Ele é o inventor do automóvel, e quanto mais nos aproximamos d'Ele, mais descobrimos que Ele não sabe apenas aonde, mas também como e quando devemos ir.

E a respeito disso, eu amo um versículo de Coríntios que diz:

> Todavia, como está escrito: "Olho nenhum viu, ouvido nenhum ouviu, mente nenhuma imaginou o que Deus preparou para aqueles que o amam". (1 Coríntios 2.9)

Existe uma razão pela qual todo o nosso controle e inútil capacidade de guiar não nos levou a viver os sonhos de Deus: eles são maiores do que podemos imaginar. Nem mesmo com toda a habilidade humana a nosso favor, seríamos capazes de conceber tudo aquilo que Ele preparou para nós. Sendo assim, como poderíamos chegar a um lugar que nem sabemos que existe? É exatamente o que Isaías nos revela:

> "Pois os meus pensamentos não são os pensamentos de vocês, nem os seus caminhos são os meus caminhos", declara o Senhor. "Assim como os céus são mais altos do que a terra, também os meus caminhos são mais altos do que os seus caminhos e os meus pensamentos mais altos do que os seus pensamentos". (Isaías 55.8-9)

Imagine os sonhos de Deus como um tesouro extremamente precioso, escondido em algum lugar que somente Ele sabe onde está. O que acontece é que, em diversos momentos, queremos que o Senhor desenhe um mapa do tesouro para que possamos encontrar o que tanto buscamos sem precisar abrir mão do controle. Mas não é assim que as coisas funcionam no Reino de Deus. Em vez de nos dar o mapa, Ele prefere ser o nosso guia, indo conosco durante a jornada, nos ensinando e mostrando o caminho.

Podemos até tentar ter o controle da nossa vida e ansiar pelos sonhos de Deus ao mesmo tempo, mas é impossível conseguirmos as duas coisas. Isso, porque Ele é a peça fundamental para alcançarmos os propósitos divinos em nossas vidas. Sem Ele no comando, nunca chegaremos lá.

Ainda sobre Provérbios, a terceira direção que a Bíblia nos dá é: "reconheça o Senhor em todos os seus caminhos". Essa atitude diz respeito ao próximo passo rumo às "veredas endireitadas" que o versículo menciona. Para que isso possa acontecer, precisamos manter um coração grato pelo que já passou e pelo que está por vir.

É importante perceber que o texto não menciona apenas os caminhos que trilhamos quando entregamos o controle ao Senhor, e sim "todos" os caminhos, inclusive os errados, quando tentamos dirigir nossas vidas sem a ajuda de Deus.

É essencial, assim, mantermos em mente que, se hoje temos a oportunidade de recomeçar, é porque o Senhor cuidou de nós até aqui. Na verdade, não é porque acabamos no lugar errado que Deus nos abandonou. Mesmo nos caminhos tortuosos, quando estávamos completamente perdidos em nossas próprias convicções, Ele não desistiu de lutar por nós, para que, um dia, tivéssemos a chance de tentar mais uma vez.

Quando compreendemos isso, é inevitável que o nosso coração não se encha de gratidão, não só por tudo o que Ele fez, mas por quem Ele é. E a gratidão é extremamente importante para o recomeço, uma vez que é justamente ela que nos impede de tomar o controle das mãos de Jesus quando as coisas começam a dar certo. Quando nos lembramos de que, se não fosse por Ele, os nossos caminhos teriam nos levado à destruição, pensamos duas vezes antes de querer recuperar o domínio de tudo.

Além disso, a gratidão pelo agir de Deus no passado e no presente nos mantém humildes para o futuro. Nós sempre devemos reconhecer o Senhor em nossos caminhos, entregando-Lhe toda a glória, e tendo em mente que é Ele quem constantemente endireita as nossas veredas.

Agora, quando entregamos o controle para que Deus dirija a nossa história, é fundamental nos atentarmos ao perigo do imediatismo. Diversas vezes, pensamos que se cedermos e entregarmos a direção ao

Senhor em um dia, no outro tudo estará resolvido e teremos chegado ao destino que Ele tinha planejado para nós. No entanto, na prática é bem diferente. Se não soubermos lidar com isso, rapidamente, tomaremos o controle de volta.

Ainda que muitos não comentem sobre isso, ter o controle é como um vício. Quem já lidou com algum tipo de dependência química, por exemplo, sabe que o momento em que se decide parar é único. Muitos choram e até recebem a convicção de que, dali para frente, as coisas serão diferentes. Afinal, essa escolha os levou a trilhar um caminho novo. Contudo, logo após a decisão por uma vida melhor, essas pessoas terão de enfrentar o que chamamos de crise de abstinência, que é quando a falta da substância que gerou o vício começa dar sinais muito fortes, afetando tanto o aspecto psicológico e o físico quanto o emocional. Nessas horas, a tentação de retornar aos velhos hábitos é mais forte do que nunca, e se não tomarem cuidado, elas podem voltar a praticar aquilo que tinham prometido abandonar.

Assim também acontece quando decidimos entregar a direção das nossas vidas para Cristo. Estamos tão acostumados a ter o controle que, quando o abandonamos, entramos em um período no qual precisamos aprender a viver sem ele. Por vezes, podemos até achar que os resultados estão demorando, ou que essa entrega não tenha adiantado nada, mas, na realidade, não é que Deus esteja atrasado, e sim a nossa paciência que diminuiu. Por outro lado, a Bíblia nos garante que, se permanecermos firmes, passaremos por esse período e alcançaremos o nosso objetivo: "e Ele endireitará as tuas veredas".

Se esperarmos no Senhor, Ele nos guiará, não aos antigos caminhos tortuosos pelos quais costumávamos caminhar, mas por novas rotas, mudando completamente o nosso futuro. Um dos meus textos favoritos e que ilustra muito bem essa verdade é o de Lucas 23:

> E um dos malfeitores que estavam pendurados blasfemava dele, dizendo: Se tu és o Cristo, salva-te a ti mesmo, e a nós. Respondendo, porém, o outro, repreendia-o, dizendo: Tu nem ainda temes a Deus, estando na mesma condenação? E nós, na verdade, com justiça, porque recebemos o que os nossos feitos mereciam; mas este nenhum mal fez. E disse a Jesus: Senhor, lembra-te de mim, quando entrares no teu reino. E disse-lhe Jesus: Em verdade te digo que hoje estarás comigo no Paraíso. (vs. 39-43 – ACF)

Na cruz, aquele ladrão estava colhendo os frutos dos caminhos que ele mesmo havia escolhido trilhar. O seu controle o havia levado até aquela condenação. Ali ele morreria de forma dolorosa, humilhante, e, provavelmente, sofreria por toda a eternidade.

Porém, bastou um momento com o Salvador para que aquele ladrão entendesse quem Cristo era e decidisse entregar sua vida a Ele. Em questão de segundos, todo o seu destino havia sido transformado. Aquele homem estava indo para o Inferno, como consequência pelos seus pecados, mas pouco depois, sua rota foi completamente mudada, levando-o ao encontro com Jesus no Paraíso.

Não existe nenhuma vereda que Cristo não consiga endireitar, nenhum pecado que Ele não possa redimir, nenhum destino que não seja capaz de alterar. Deus abre caminhos em meio ao mar, para que nós não morramos nas mãos dos nossos inimigos, e nos leva à Terra Prometida para que desfrutemos de Sua bondade.

Admita: todos esses anos se agarrando ao controle não o levaram a lugar nenhum, ou pelo menos não aonde você planejava estar. Decida viver algo novo, permitindo que o Senhor dirija a sua vida. Porque é como as Escrituras dizem:

> Entrega o teu caminho ao Senhor; confia n'Ele, e Ele tudo fará. (Salmos 37.5 – ACF)

Somente quando aceitamos que Deus é a melhor escolha para guiar a nossa vida e permitimos que Ele tome o controle das nossas mãos, estaremos realmente prontos para recomeçar e trilhar novos caminhos de vida e paz, sentados no banco do passageiro, lugar de onde nunca deveríamos ter saído.

capítulo 10
O segredo da vida

Todo mundo tem perguntas dentro de si que clamam por respostas. Porém, talvez, de todas elas, uma esteja disparada como a primeira da lista: qual é o segredo da vida? O que precisamos fazer para ter sucesso enquanto ainda estamos aqui na Terra? Posso afirmar, de olhos fechados, que não existe ninguém no mundo que, mesmo por um breve momento, não tenha pensado, lido ou questionado sobre isso.

A questão é que a vida é um tema muito complexo, e encontrar essa resposta através da nossa lógica e raciocínio não é tarefa fácil. Na verdade, seria quase impossível, não fosse pelo fato de conhecermos Aquele que a criou. Isso significa que, se existe alguém que sabe a resposta para essa pergunta é Deus. Foi através de um episódio que aconteceu comigo que Ele me mostrou, na prática, a resposta para esse questionamento.

Eu me lembro que, certa vez, fui para a praia e tive a ideia de tentar surfar com um amigo. Ele, já veterano, tinha uma prancha de *surf* enorme e profissional, enquanto eu acabei optando por uma menorzinha, que era bem mais fácil para pegar as ondas. Foi uma experiência incrível, porque eu pude aprender muito sobre a maneira como o mar e as ondas funcionam.

Toda vez que uma onda quebra na beira da praia, ela faz um caminho de volta para uma região bem mais profunda do mar, onde, geralmente, nem mesmo os surfistas vão. Esse processo de retorno se chama lagamar[1], e é a causa de muitos afogamentos, já que a correnteza forte acaba levando as pessoas para essa parte mais funda. E para a minha surpresa, foi exatamente isso o que aconteceu comigo e com o meu amigo naquele dia.

Nós estávamos tranquilos, surfando e nos divertindo, no instante em que percebemos as pessoas na praia olhando preocupadas em nossa direção. Foi quando algumas delas, claramente desesperadas, começaram a apontar para onde estávamos. Sem entendermos nada do que estava acontecendo, olhamos ao nosso redor e, de repente, vimos uma mulher se afogando naquela região mais funda. O problema é que, mesmo um salva-vidas a tendo alcançado, por estar nadando no sentido contrário à corrente, ele também começou a se afogar, ao mesmo tempo em que tentava

---

[1] MAYRINK, Clecio. **Mergulho de praia x correntes de retorno.** Brasil Mergulho. Disponível em *https://www.brasilmergulho.com/mergulho-de-praia-x-correntes-de-retorno/*. Acesso em outubro de 2019.

dar assistência para aquela mulher. Foi tudo muito rápido, e se nada tivesse sido feito, os dois morreriam.

    Imediatamente, eu pensei em ajudar, mas logo me dei conta de que não tinha equipamento nem habilidade como surfista ou nadador, o que, naquele momento, faria com que eu fosse muito mais um problema do que uma solução. Não só isso, mas, na realidade, a correnteza já estava começando a me puxar também, e se eu não agisse rápido para sair dali, seria levado para as profundezas da mesma forma que a mulher e o salva-vidas.

    Felizmente, o meu amigo, com mais experiência, conseguiu se aproximar dos dois e começar o processo de salvamento. Depois de muito esforço e alguns minutos de agonia, ele conseguiu tirá-los da correnteza, nadando para o lado e evitando o caminho que levava ao fundo.

    Após toda aquela situação, quando chegamos à praia, eu entendi que toda a confusão tinha acontecido simplesmente porque os dois não entendiam como o caminho das ondas funcionava. Inclusive, descobri mais tarde que, se tivessem conhecimento a respeito do lagamar e da sua trilha de ida e volta, eles saberiam que seria muito mais eficaz simplesmente boiar do que tentar nadar contra uma correnteza que é mais forte do que eles. Isso, porque, apesar da angústia e do desespero, em algum momento, eles seriam levados para a praia novamente por conta do ciclo natural desse processo.

Foi justamente quando entendi essa lei da natureza que me dei conta de que esse era o segredo da vida: saber boiar.

Pode parecer loucura, mas, na verdade, a vida tem o mesmo ciclo que essas ondas. Em alguns dias, somos levados para situações favoráveis, e em outros, somos arrastados para as dificuldades. Esse é o curso natural da vida, e precisamos aprender a lidar com ele. O interessante é que toda essa situação me fez perceber que é muito mais inteligente aprendermos a descansar (boiar), já que temos a certeza de que, em algum momento, seremos levados à praia novamente, do que nos desesperarmos e acabarmos morrendo enquanto nos debatemos contra a correnteza.

A Palavra nos revela:

> Levanto os meus olhos para os montes e pergunto: De onde me vem o socorro? O meu socorro vem do Senhor, que fez os céus e a terra. Ele não permitirá que você tropece; o seu protetor se manterá alerta, sim, o protetor de Israel não dormirá, ele está sempre alerta! O Senhor é o seu protetor; como sombra que o protege, ele está à sua direita. De dia o sol não o ferirá, nem a lua, de noite. O Senhor o protegerá de todo o mal, protegerá a sua vida. O Senhor protegerá a sua saída e a sua chegada, desde agora e para sempre. (Salmos 121.1-8)

Não só isso, mas:

> Os que confiam no Senhor, são como o monte de Sião, que não se abala, mas permanece para sempre. (Salmos 125.1)

> Entrega o seu caminho ao Senhor; confia nele, e Ele tudo fará. (Salmos 37.5)

> [...] O choro pode durar uma noite, mas a alegria vem pela manhã. (Salmos 30.5 – ARC)

Esse é o Deus a que servimos e essas são apenas algumas das promessas e garantias que Ele nos deixou. Por isso, em vez de nos desesperarmos diante dos problemas, por que não aprendemos a descansar no que o Senhor já nos prometeu? Afinal, ainda que demore mais do que o esperado, os dias bons virão novamente. A mesma correnteza que nos levou para o fundo nos trará de volta para a praia. Tudo o que precisamos fazer é boiar.

O problema é que, na maioria das vezes, decidimos confiar em nós mesmos e na nossa capacidade de nos salvar da correnteza. Parece que, de uma hora para outra, esquecemos ou ignoramos tudo o que a Bíblia nos disse. Como se ela fosse muito linda e reconfortante na teoria, mas jamais pudesse ser aplicada na prática. Por mais absurdo que possa soar, é assim que agimos.

Dessa forma, em um mundo aparentemente tão produtivo e frenético, o descanso tem se tornado sinônimo de preguiça ou perda de tempo. E por mais que essa seja a solução real para a maioria dos problemas que temos, nós nos recusamos a acreditar que o descanso seja o desfecho que precisamos. Muito dessa rejeição talvez aconteça pelo fato de o confundirmos com a estagnação. Entretanto, não me refiro a qualquer tipo de descanso, mas ao estado pleno que Jesus menciona, e este só é possível de uma maneira: através d'Ele mesmo. Cristo nos diz:

> Deixo-vos a paz, a minha paz vos dou; não vo-la dou como o mundo a dá. Não se turbe o vosso coração, nem se atemorize. (João 14.27 – ARC)

Isso quer dizer que existem dois tipos de paz. Uma que o mundo pode nos oferecer e outra que apenas Jesus é capaz de nos dar. Em complemento, o livro de Filipenses afirma:

> Não estejais inquietos por coisa alguma; antes, as vossas petições sejam em tudo conhecidas diante de Deus, pela oração e súplicas, com ação de graças. E a paz de Deus, que excede todo o entendimento, guardará os vossos corações e os vossos sentimentos em Cristo Jesus. (Filipenses 4.6-7 – ARC)

A paz de Deus não faz sentido, humanamente falando. Não é algo que podemos explicar ou um assunto que podemos dominar. Ela ultrapassa os limites da nossa compreensão e é exatamente por isso que só pode ser alcançada quando nos submetemos a Ele.

Talvez, uma das coisas que mais busquemos na vida seja a paz. É horrível viver em um ambiente onde as pessoas estão em pé de guerra, gritando, maltratando-se e agredindo uns aos outros o tempo inteiro. Sem contar quando nos referimos a casos ainda mais graves, como guerras civis. A Síria é um grande exemplo disso. Há anos, lemos notícias a respeito da guerra que acontece nesse país desde 2011.[2] Muitos nasceram nesse contexto e não fazem ideia do que significa um mundo sem mortes, conflitos, bombas e destruição. Isso quer dizer que alguns se esqueceram do que é ter paz, mas outros nem chegaram a conhecê-la de fato. Quando penso nisso, me dou conta de que são nesses cenários que a paz de Cristo pode se estabelecer e bagunçar a nossa lógica. É em meio ao caos e sofrimento que somos capazes de experimentar "a paz que excede todo o entendimento". Paz essa que independe das circunstâncias e do que é externo, mas que floresce e traz vida e esperança mesmo nos momentos menos prováveis.

A grande questão é que, diversas vezes, nós a associamos a algum tipo de alienação ou "estado de transe", como se fôssemos induzidos a sorrir e dizer que está tudo bem, quase que de forma a nos enganar. Por mais que, de fato, nós, cristãos, não sejamos guiados por sentimentos, mas por fé, fico feliz em dizer que, pelo

---

[2] Folha de São Paulo. **Entenda quem apoia quem na guerra na Síria, que envolve Turquia, Rússia e EUA**. Disponível em *https://www1.folha.uol.com.br/mundo/2019/10/entenda-quem-apoia-quem-na-guerra-na-siria-que-envolve-turquia-russia-e-eua.shtml*. Acesso em outubro de 2019.

menos para mim, todas as vezes em que experimentei a paz de Deus, ela se materializou de maneira a colocar todos os meus sentimentos no lugar certo, fazendo com que tudo em mim se aquietasse e descansasse, ainda que o cenário externo fosse assustador. Quando a nossa alma recebe um comando do Céu, toda a agitação, ruído e medo vão embora.

Por outro lado, o fato de sermos blindados por essa paz não nos coloca em uma bolha ou ignora o fato de a vida ser uma surpresa constante. Às vezes, vivemos algo que não estava no nosso *script*, tanto para coisas grandes quanto para pequenas. É como quando saímos sem levar guarda-chuva e, de repente, contrariando todas as nossas constatações a respeito do tempo, começa a chover. A vida é feita de imprevistos. Na jornada, teremos altos e baixos, dias bons e ruins, e o que temos de entender é que isso é inerente à vida. *Status*, dinheiro ou fama não podem mudar esse ciclo. Todos passamos pela mistura de memórias boas e ruins, a diferença está na forma como reagimos quando somos capturados pelo lagamar.

Hoje, mais do que em qualquer outra época da História, vemos o crescente número de pessoas com transtornos psicológicos, como depressão, ansiedade, bipolaridade, e a lista continua. Aliás, de acordo com dados da Organização Mundial da Saúde (OMS), o Brasil é o país com o maior número de pessoas com ansiedade no mundo. Cerca de 9,3% da população brasileira sofre desse mal.[3] Doenças psicológicas são muito graves e precisam ser tratadas por profissionais, mas, ao contrário do que muitos pensam, elas não são sinônimo da falta de Deus, e sim um sinal de que o corpo está quimicamente desajustado e precisa de ajuda. Porém, isso não muda o fato de que tantas pessoas estão emocionalmente doentes por não conseguirem controlar cada segundo de suas vidas. O estresse, somado à necessidade de controle, faz com que, em vez de boiarem, se debatam e tentem nadar contra a correnteza. Entretanto, sobre isso, a Bíblia nos instrui:

> Não presumas do dia de amanhã, porque não sabes o que ele trará. (Provérbios 27.1 – ACF)

Ninguém sabe o dia de amanhã, o que significa que não podemos controlar o futuro, apesar de termos, sim, que planejá-lo. Todas as vezes que penso nisso, sou tomado por um grande temor. Muitas vezes, não paramos para refletir, mas em questão de segundos, podemos simplesmente não estar mais aqui. Tiago nos disse:

> Digo-vos que não sabeis o que acontecerá amanhã. Porque, que é a vossa vida? É um vapor que aparece por um pouco, e depois se desvanece. (Tiago 4.14 – ACF)

---

[3] GALHARDI, Ricardo. **O Brasil é o país mais ansioso do mundo, diz a OMS.** Notícias Uol. Disponível em *https://noticias.uol.com.br/ultimas-noticias/agencia-estado/2019/06/05/brasil-e-o-pais-mais-ansioso-do-mundo-segundo-a-oms.htm?cmpid=copiaecola*. Acesso em outubro de 2019.

A nossa vida é como um vapor. Por ora estamos e, de repente, não estamos mais. Nós só vivemos uma vez, e precisamos nos certificar de que estamos fazendo valer cada segundo.

Agora, planejar não significa tentar desesperadamente controlar cada detalhe do que acontece. Na maioria das vezes, boa parte da causa de toda a ansiedade e estresse que nutrimos, e até das frustrações que vivemos, tem ligação direta com a nossa falsa expectativa de que tudo na vida sairá exatamente como o programado. Mas, assim como o ciclo das ondas: às vezes dará tudo certo, às vezes, não. E o que fazer quando nos vemos rodeados de problemas e preocupações muito maiores do que conseguimos lidar? Boiar. Aprender a descansar e depender do nosso Deus, que é muito maior e mais poderoso do que qualquer circunstância, pessoa, e o que mais quisermos acrescentar a essa lista.

Meses atrás, enquanto meditava a respeito de tudo isso, lembrei-me da história do lagamar. Foi aí que me dei conta de que, talvez, poucas ilustrações refletissem tanto o recomeço como esta. O lagamar é o recomeço disfarçado. O novo que todos querem experimentar, mas que, tantas vezes, têm medo de arriscar. É evidente que tudo o que é desconhecido dá medo. Mas, assim como para qualquer coisa na vida, é a nossa decisão de ousar que fará com que vivamos o extraordinário. São nesses raros momentos, em que escolhemos nos submeter ao melhor de Deus, e nos posicionamos na hora certa e no momento oportuno, que descobrimos que mais do que medo, existe satisfação, alegria e novidade em recomeçar.

Por outro lado, não há como negar que o recomeço, muitas vezes, só é bonito mesmo na poesia. Porque, na prática, ele custa tudo. Ele exige o nosso posicionamento radical, a ousadia, que, por vezes, não temos, e a fé, que acredita no inusitado, para enxergar uma realidade que ainda não se materializou. Entretanto, apesar de toda dificuldade que o recomeço possa carregar, nós, os filhos de Deus, temos Suas palavras em nosso favor. E melhor: temos Ele mesmo lutando por nós.

Assim, a partir do momento em que permitimos que Deus entre em nossa história, guerreie por nós, faça florescer o novo do Céu e passe a caminhar ao nosso lado na jornada, somos genuinamente transformados. Tudo o que precisamos encontramos em Cristo. Não só isso, mas a despeito de todos os vereditos cruéis que recebemos, n'Ele, até mesmo os finais mais terríveis se tornam grandes potenciais para recomeços surpreendentes. Porque é isso o que Ele faz. Deus não desperdiça nada. Nem mesmo as situações mais desastrosas, horríveis e desumanas a que fomos submetidos. Pelo contrário, Ele converte cada uma delas para que, ao fim, contrariando tudo e todos, elas cooperem para o nosso bem e transformem ainda mais o nosso caráter à semelhança d'Aquele que é irrepreensível.

Desse modo, fica fácil [para não dizer óbvio] chegar à conclusão de que, se o Diabo é taxado como o especialista em destruição, muito mais Jesus é a autoridade suprema em recomeços. Até porque Ele mesmo foi quem dividiu a História, colocando um antes e um depois para o maior recomeço que já existiu. Porém, apesar da cruz ter liberado o acesso e nos possibilitado um novo começo, enquanto não dermos o primeiro passo em direção a essa vida nova, jamais sairemos do lugar onde estamos hoje. Portanto, a responsabilidade é minha. A responsabilidade é sua. E diante disso, uma certeza é inevitável: que o recomeço está para a vida assim como a nossa escolha está para o recomeço. É por conta disso que, se porventura, algo der errado na caminhada, não se esqueça de que não é necessário muito para recomeçar. Tudo o que você precisa é de coragem.